FUTURE CENTER 'THE SHIPYARD'

フューチャーセンターは欧州の小国が発祥の地。写真はオランダ国税庁の「シップヤード」。歴史的建造物を改築し、様々な背景を持つ人が集まって対話する場を設けた。開放性、遊び心、ホスピタリティから新しいアイデアが生まれる。

写真提供: The Shipyard

フューチャーセンターが扱うテーマは、震災復興、地域活性化、新市場開拓、少子高齢化問題……と、多岐にわたる。企業、地方自治体、NPOなどが、組織の壁を超えた対話から協調的アクションを生む仕組みに注目している。

フューチャーセンターをつくろう

対話をイノベーションにつなげる仕組み

野村恭彦
Takahiko Nomura

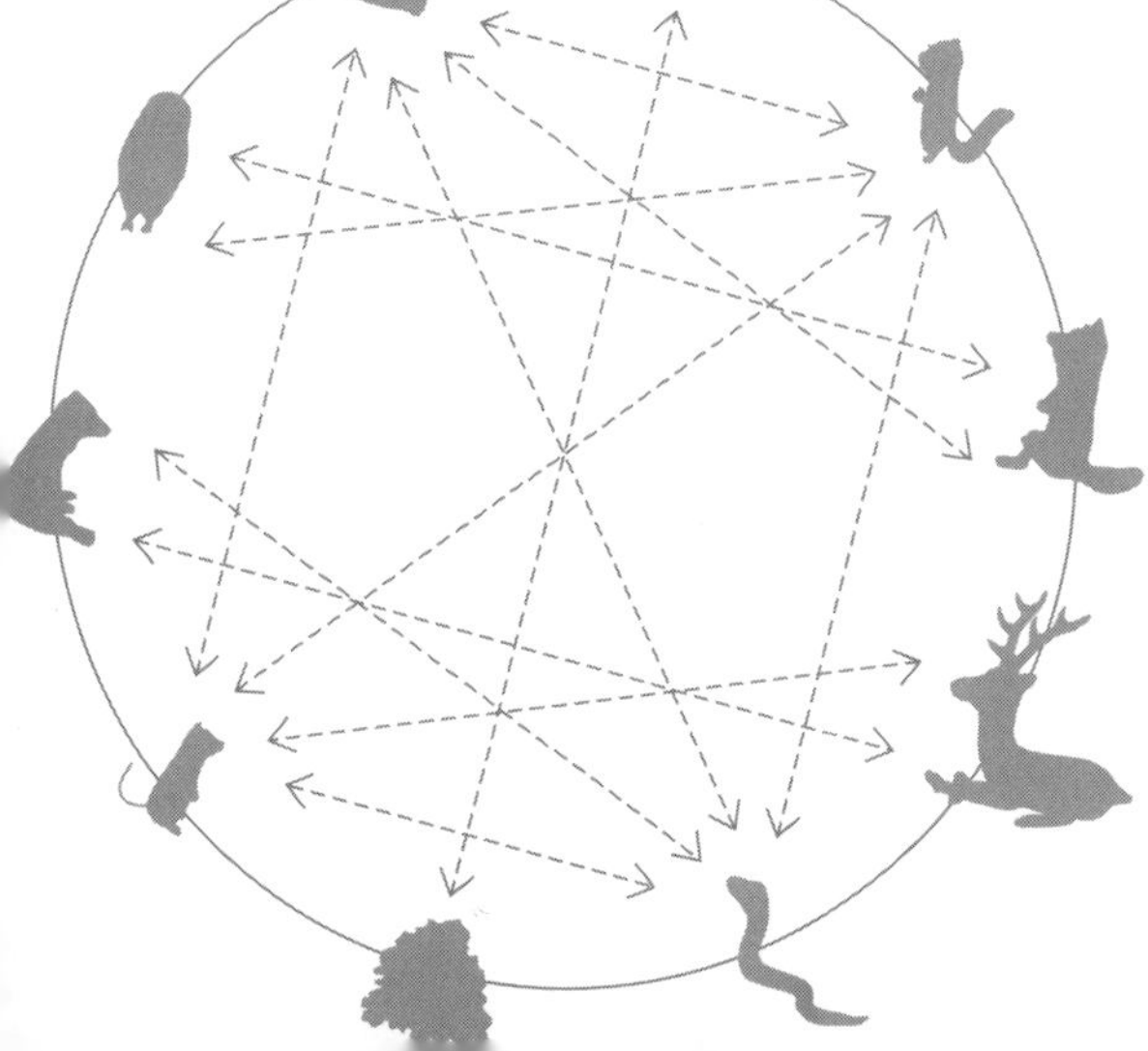

序文

私は「対話〈ダイアログ〉のエキスパート」として世界中を飛び回り、様々なジャンルの素晴らしい人々と仕事をしている。私のパートナーは、タイのジャングルの奥で活動する若き起業家、ジンバブエの村落の住民、オーストラリアのゴールドコースト開発に携わる役人、アメリカの慈善事業団体のリーダー、カナダの医療関係者……といった人々だ。国やセクターは違っても仕事の基本は同じだ。人々が安心して相手の意見に耳を傾け、突っ込んだ会話やイノベーティブな対話を交わす場をつくること、思いもよらない新しいアイデアが生まれる場をつくること、である。

こうした「場」がフューチャーセンターであると意識したことは一度もなかったが、本書の著者であり、私の友人でもあり、協力者でもある野村さんの話を聴くうちに、フューチャーセンターとは、まさに私がやっていることだと気づいた。忘れもしない二〇一〇年の春のことだ。野村さんは、私の仕事に、人々が耳を傾けてくれるような素敵な名前をつけてくれたのである。

その後、日本においてフューチャーセンターのことを私自身の口から何度も話す機会があったが、その度に人々が身を乗り出して聴いてくれているのを感じた。フューチャーセンターの何たるかを知らないで話を聴きにきた人もいたが、「フューチャー」という言葉には、人をひきつけるある種の磁力があるのかもしれない。

私がフューチャーセンターこそ自分の仕事であると意識するようになった二〇一〇年には、何度も来日して日本でも多くの対話を開催した。その度に参加した人たちが自分たちの企業、組織、コミュニティ、そして生活そのものを変えていく必要を語るのを耳にした。しかしながら、当時はいまひとつ本気度が感じられなかった。変わらなくてはならない――でも今すぐにではない、という雰囲気だった。しかし、二〇一一年三月一一日を境にそれが一変する。今すぐに変わらなくてはならない、と。地震、津波、原発事故という災害に見舞われる前は、日本においてフューチャーセンターは「検討に値する興味深いアイデア」の一つにすぎなかったが、それが突然、「日本の未来を創る」ことを象徴するものへと変貌したのである。

私にとってフューチャーセンターのもっとも重要な要素は、力を結集して行動を起こすことへのこだわりである。解決すべき問題、実現すべき可能性を見つけた人が外部の人間に協力を求め、多様性に富む背景、経験、意見を持つ人々を集める。これらの人々の関係性を構築し、信頼を育成し、意見を共有し、知識と洞察を結集するためにダイアログをはじめとするメソッドを活用する。そこから徐々に新しいものが生まれてくる。それは一人一人では決して思いつくことのなかったものである。このプロセスにこそ、フューチャーセンターの可能性がある。

一つでも二つでもフューチャーセンターをつくることができたら、素晴らしいことだ。しかし、もっとつくれるとしたらどうだろう？　たとえば、新しい未来を築くためのフューチャーセンターを一〇〇〇つくったらどんなことがおきるだろう。ヨーロッパでは、「センター」といえば「建物」を連想する。しかし、日本には「場」という言葉がある。フューチャーセンターは「場」である。来るべき未来のために協業する空間なのだ。

私は世界各地で仕事をするなかで、異なる職業に就きながら同じような目標に向かって働いている人同士がつながり合い、学び合うことを通して広がる可能性を感じている。われわれの言葉ではこうしたつながりを「トランスローカルなネットワーク」と呼んでいる。

ローカルなやり方に根差しつつ、ネットワークでダイナミックにつながるということだ。これとは対照的に、フューチャーセンターはどこでも共通の原則と方法に基づいて運営される。それは、「新しい未来を創る最善の方法は、あるテーマに関心のある人を集め、好奇心、敬意、友情を分かち合いながら、何ができるかを検討し、そこで描いた未来を創るためにともに行動することにコミットする」という発想に基づいている。

この本は、日本の未来を描く人々が一歩踏み出すための助けとなるだろう。

昨年、三つの災害に見舞われた日本で、新たなエネルギーとインスピレーションが芽生えるのを私は目にした。災害は、日本にとって悲惨な体験だった。多くの人がいまだに肉体的、精神的、経済的苦痛のなかにある。しかしこの災害は、東北だけでなく、日本全体に契機をもたらした。ほかでもない自分自身が未来を創るために一歩を踏み出さなくてはならないと、日本人一人ひとりが感じている。フューチャーセンターは、未来を創る人たちがアクションを起こすための「場」となるだろう。

トランスフォーメーション・インスティテュート代表　ボブ・スティルガー

フューチャーセンターをつくろう◉もくじ

第3章 フューチャーセンター・セッションを開く

第4章 開かれた専用空間をつくる

はじめに

フューチャーセンターは、北欧の知的資本経営から生まれた、「未来の価値を生み出すセンター」です。その後、欧州内の公的機関に広がり、複雑な問題をスピーディに解決するために、多様な専門家やステークホルダーを集め、オープンに対話する場として発展しました。日本では、人口減少・市場縮小の閉塞感を乗り越えるための、企業や大学のオープン・イノベーションの場として、また未来に向けた市民参加の街づくりの場として、期待が集まっています。東日本大震災を機に、一〇年先、二〇年先のことを、多様なステークホルダーが話し合って決める場があらゆる分野で必要になったことを受け、二〇一一年になって広く認知され始めました。

フューチャーセンターは、「対話のための専用空間」でもあり、「人と人とのつながり」でもあり、「企業や社会の変革装置」でもあります。フューチャーセンターで行われる活動は、私たちが「人として」社会や市場経済と向き合い、協力し合って変化を起こしていくための、本質的な対話と協調です。このことを深く理解し、一方でそれぞれの企業や地域の文脈にのっとって、目に見えるかたちで対話の場を具体化していったものがフューチャーセンターになります。ですから、組織やコミュニティの数だけ、異なるフューチャーセンターが立ち上がる可能性を持っています。

「フューチャーセンターを立ち上げたい」という人が、顕著に増えてきています。私の周りだけかもしれませんが、毎日のように、「私はフューチャーセンターを立ち上げたい」という人にお会いしているような気がします。

東京の港区、神奈川の横浜市や川崎市、千葉の柏市などでは、フューチャーセンターを立ち上げようと、議員が中心となって動き始めています。議会や行政を市民が参加できる開かれた場にするために、フューチャーセンターに大きな期待が寄せられています。企業としては、富士ゼロックスKDI、東京海上日動システムズ、コクヨ、東京急行電鉄、富士通、アサヒグループホールディングスなどが、先頭ランナーとして実践を進めています。

企業にフューチャーセンターをつくろうという人は、「モノの提供だけでは顧客に高い価値を提供できなくなってきており、最上流の課題の設定を企業の枠を超えて行えるようにならなければ生き残れない」という問題意識を根底に持っています。

社会問題の解決に取り組む社会起業家たちも、フューチャーセンターを活動拡大の切り札と捉え始めています。認知症フレンドシップクラブは、富士通研究所と共同でフューチャーセンター・セッションを重ねることで、多くの企業に対して認知症にまつわる社会問題の幅広さを伝え、イノベーションを先導しようとしています。

なぜ、企業とコミュニティの実践者たちはフューチャーセンターをつくりたいと考えるのでしょうか。なぜ、専用空間があったほうがいいのでしょうか。企業内であれば、プロジェクトを立ち上げて、会議室で対話をするのでは、何が足りないのでしょうか。コミュニティであれば、掲示板を立ち上げて、公民館やカフェで対話をするのでは、何が足りないのでしょうか。

企業もコミュニティも、「仲間が集まって対話をしているだけにとどまらない、開かれた関係性を次々と生み出していく場」を必要としています。

開かれた場には、誰もが問題や課題を持ち込むことができます。そして多様な人を集めて、複雑な問題を解決していくことができます。開かれた場では、どんなテーマが語られているかを外から見ることができ、参加することができます。開かれた場には、新たに加わった人も、簡単に輪に入っていくことができます。

このような開かれた場が必要であることを感覚的に理解している人たちが、自分だけのためではなく、みんなのためにフューチャーセンターを開設したいと考え始めているのです。新しい時代の始まりです。

本書は、フューチャーセンターの思想と「場の主宰者としてのあり方」を理解し、その具体化のための「対話とイノベーションの方法論」を体得・実践していただくことを目的に書きました。フューチャーセンターの背景と概要からハウツー、そして本質まで、しっかりとお伝えしていきたいと思います。本書を片手に、意志を持った変革者の皆さんが、フューチャーセンターに携わり、社会変革の中心地となる場のネットワークを広げていくことを心から期待してやみません。志を持ったフューチャーセンター・ディレクターが増えていくことが、私たちの未来をワクワクしたものに変えてくれると信じています。

第1章

フューチャーセンターとは何か

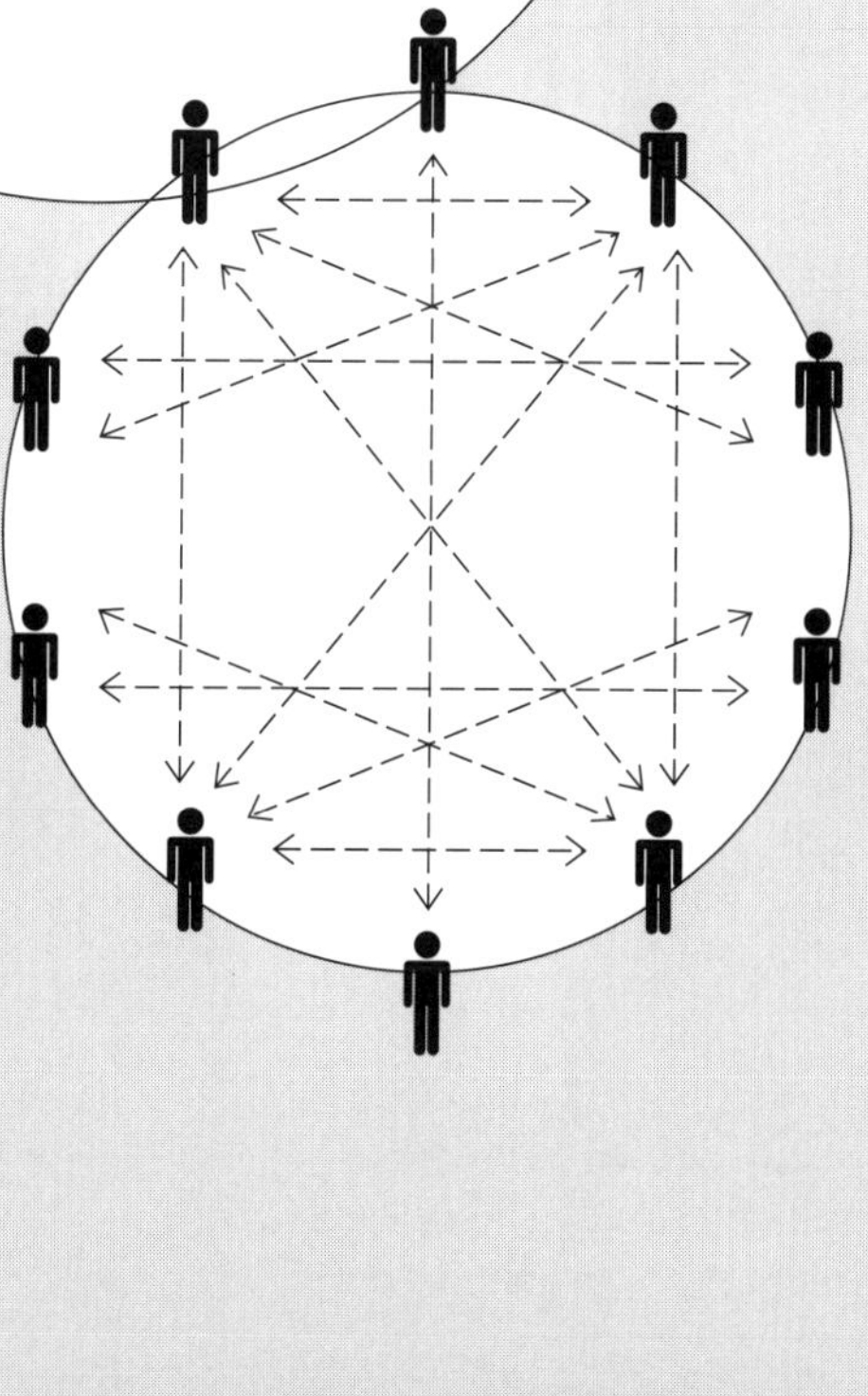

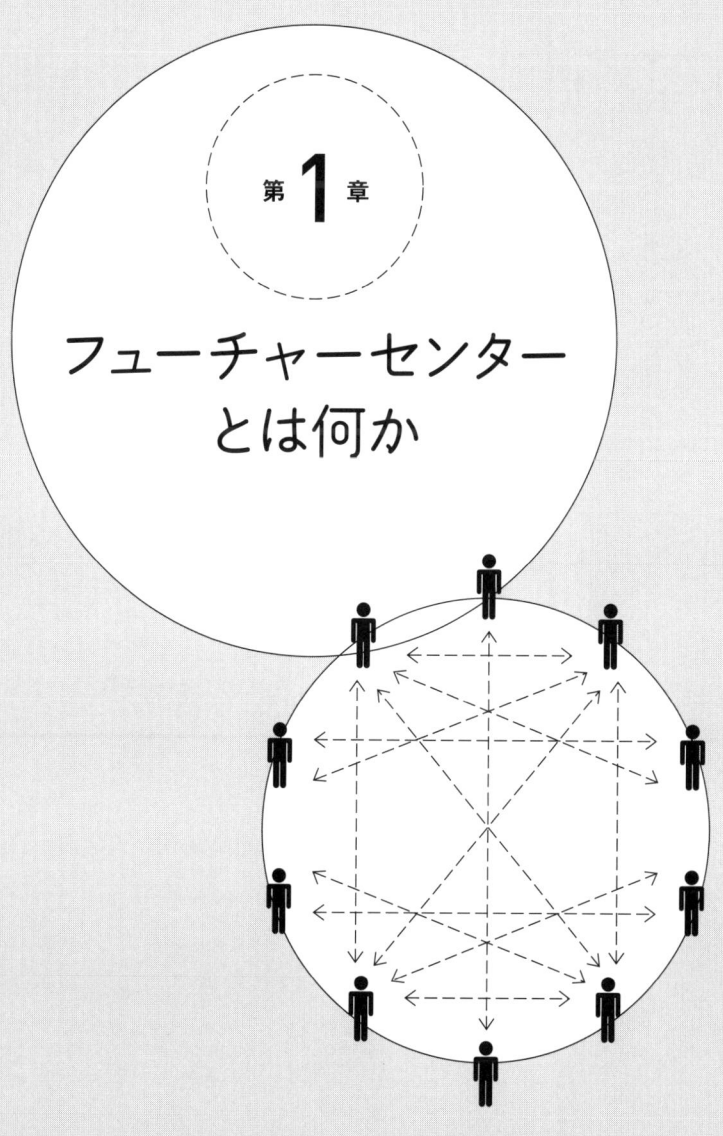

フューチャーセンターの歴史

新しい概念を理解しようとするとき、人は必ず「○○みたいなもの」といったように他の似たものと関連づけて理解しようとします。たとえば、フューチャーセンターのことをお話ししているときに、次のような質問をよく受けます。


フューチャーセンターは、企業がお金をかけてつくるショールームみたいなものですか？

フューチャーセンターは、デザインに凝った研修所みたいなものですか？

フューチャーセンターは、ホワイトボードに囲まれた会議室みたいなものですか？

フューチャーセンターにいちばん近いのは、雰囲気のよいカフェでしょうか？

今こうして対話をしている場こそが、フューチャーセンターなのですよね？


どの質問に対しても、「そういう見方もできますが、少し違います」と答えるしかありません。この複雑さ、理解しにくさの原因は、「フューチャーセンター」がたんなる施設の名前ではなく、ただの「活動」でもないところにあります。

たとえば、「学校」は施設の名前ではありません。施設の名前は「校舎」です。学校には、教育の目的があり、校舎があり、先生がいて、生徒が通ってきて、授業や課外活動といったプログラムを運営しています。つまり、教育プログラムの提供という機能を持ち、学習という活動が行われているのが、概念としての「学校」です。

フューチャーセンターも、それと同じように捉えてください。創造的なワークショップのファシリテーションという「機能」を提供し、そこで対話やアイデア創出という「活動」を行っているのが、概念としての「フューチャーセンター」です。

それともう一つ理解を難しくしていることは、「フューチャーセンター」という名前です。なぜ、「フューチャー」なのでしょうか。

私は、ここですぐに答えを出したくはありません。それは、「要するに、○○みたいなものですから」という説明をしてしまうことを避けたいからです。ここではしばらく「問い」を投げかけたままにして、読者ご自身に考えていただくことにしましょう。その答えを考えることは、「創造的（クリエイティブ）」と「対話（ダイアログ）」の意味を深く考えることにもつながると思います。

フューチャーセンターという名前を最初に使ったのは、スウェーデンのレイフ・エドビンソン教授です。エドビンソン教授は、知識経営（ナレッジ・マネジメント）の世界でも有名な研究者です。特に一九九〇年代に北欧の国々で活発だった、知的資本経営のリーダー的存在でした。

なぜ、北欧の国々で「知的資本経営」が活発に行われていたのでしょうか？ その理由はシンプルです。海外からの投資を呼び込むためです。北欧企業は、「グローバルな大企業と比べて、自分たちは大きな資本や資源は持っていないが、従業員の質や知識、将来に向けてのポテンシャルでは負けていない」と考えていました。そのような知的ポテンシャルを株式市場にアピールするために考え出されたのが、「知的資本の定量化」でした。北欧各国が横断で、知的資本の測定方法を研究し、多くの企業が同じスキームで知的資本の測定・発信を行うようになったのです。

知的資本経営では、「現在の収益は過去の知的資本が生み出したもの」と考えます。当然、長期的な成長を行うためには、「未来の知的資本を生み出す活動」が必要になります。短期的利益だけでは見えてこない、未来のポテンシャルを株主に対して訴えかけようというのが知的資本経営ですから、長期的視点の活動を重視した経営が求められます。

エドビンソン教授は、当時、スカンディア保険社で、知的資本経営の実践をリードしていました。知的資本の可視化を行い、社内では知的資本を高めるマネジメント手法を取り入れていました。しかしそれだけでは満足せず、「どうしたら、経営層の意識をもっと未来の知的資本に向けられるだろうか？」と考えていました。

そこでエドビンソン教授が考え出したのが、「未来の知的資本を生み出す場」、つまり「フューチャーセンター」でした。

最初のフューチャーセンターには、美しい湖畔のコテージが選ばれました。そこには素晴らしく眺めのよいテラスがあるカフェや、発想を刺激する数々のユニークなオブジェがありました。また、取締役のメンバーがよい対話ができるよう、家具も工夫して配置されていました。そしてエドビンソン教授自身がホストとして、参加者を出迎え、フューチャーセンターの世界へと誘い、創造的な対話をファシリテートしていったのです。

当時、知識経営のコミュニティでは、エドビンソン教授がつくったフューチャーセンターをたんなる「創造的な空間」としてしか理解していませんでした。しかし、このフューチャーセンターは、知識経営の文脈を超えて、思わぬところで発展を遂げていきました。ヨーロッパ各国のパブリックセクターがこれにとびついたのです。

オランダの治水交通省には、LEFという非常に大きなフューチャーセンターがあります。設立のきっかけは、治水交通省の長官がスカンディア・フューチャーセンターを訪れたことでした。長官は、「どうしたらもっと低いコストで、治水や渋滞の問題を解決できるプロジェクトができるだろうか」と真剣に考えているところでした。エドビンソン教授からフューチャーセンターの話を聞いて「これだ！」と思い、オランダに戻るとすぐに、フューチャーセンターづくりの検討に着手したのです。

このようなかたちで、多くのパブリックセクターでフューチャーセンターのアイデアが取り入れられるようになりました。多くの場合は、対話のための専用空間が設けられ、エドビンソン教授のような、ファシリテーションのプロでもあるフューチャーセンター・ディレクターが一人置かれ（オランダの国税庁のフューチャーセンターであるシップヤードのように「これだ！」と思った本人がディレクターを務めるケースもあります）、創造的な対話が仕事の中に取り入れられていきました。

今では、オランダの**カントリーハウス**、デンマークの**マインド・ラボ**、プライベートセクターではイタリアの**テレコム・イタリア・フューチャーセンター**など、欧州を中心に四〇以上のフューチャーセンターが立ち上がり、**フューチャーセンター・アライアンス**という創造的な相互学習コミュニティも生まれています。

フューチャーセンターの最初の発想が、「未来の知的資本を生み出す場」であったことは理解していただけたでしょうか。では、知的資本とは具体的には何を指しているのでしょうか？

知的資本は、**人的資本・構造的資本・関係性資本**の三つからなるといわれています。未来の人的資本は「人の成長」であり、未来の構造的資本は「ビジネスモデルなどのアイデアの創出」、そして未来の関係性資本は「新しい人と人とのつながり」を生み出すことになります。

つまり、「未来の知的資本」を生み出すフューチャーセンターは、人が成長し、アイデアが創出され、人のつながりが生まれる場なのです。

よりよい未来を創り出すために、人が集まり、言葉を交わし、ともに成長する場が、私たちの社会には必要です。もちろん、企業などの組織にも必要です。私たちは未来について、答えを知っているわけではありません。予測不可能で不確実な未来に対して、私たちは「未来の知的資本」である「人の成長」「アイデア創出」「人のつながり」を武器に、立ち向かっていくしかありません。

フューチャーセンターは、未来の不確実性に立ち向かうための装置にほかならないのです。

フューチャーセンターの構成要素

フューチャーセンターへの世界的な取り組み

これまでにお話ししたとおり、フューチャーセンターは、スウェーデンに始まり、オランダ、英国、デンマーク、フィンランド、イタリアなど欧州各国に広がり、香港、日本、台湾などへ広がってきました。米国でも対話の場をつくる活動は活発ですが、フューチャーセンターの普及はこれからです。

欧州の国々で、フューチャーセンターが発展してきた理由は、「知的資本経営」から生まれた、というところにあります。知的資本経営に北欧諸国が取り組んだ最初の動機が、「わが国には大きな資源はないが、未来を創出する知的資本は豊かだ」ということを国際的な金融市場にアピールするためだったことはすでに述べました。ですから、「知的資本で勝負をする」国や企業にとっては、フューチャーセンターは重要な役割を持つのです。

国土の小さな国で注目されている

知的資本で勝負する国には、人材の魅力が必要です。アイデアの豊かさが必要です。そして他国との関係性が必要です。それらをつねに高め、他国よりもスピーディに実現する能力がなければ、資源が豊かな国に太刀打ちできません。だからこそ、北欧、オランダ、英国、日本という、国土の小さな国でフューチャーセンターが注目されてきているのです。

私自身が台湾でフューチャーセンターの講演を行ったときも、大きな反響がありました。世界の半導体工場になっている台湾ですが、つねにコスト競争にさらされており、シェアが高いわりに利益率は低くなっています。フューチャーセンターを持つことで、新しい産業を創出するようなリーダシップがとれたら、という期待が非常に高かったことを覚えています。

こうした国家戦略的な観点からも、世界各地において、フューチャーセンターは主にパブリックセクターで広まってきました。そんななか、日本では企業を中心にフューチャーセンターが広がってきており、この動きは、世界から大きな注目を集めています。

フューチャーセンターの典型的な活動として知られているものに、「一〇年から数十年後の社会の姿を具体的に描き出す**未来シナリオ**づくり」があります。未来シナリオは、長期計画というよりは、リスクマネジメントに近いものです。長期的にどんな不確定要素があるのかを調査していきます。そこから小さな兆しを読みとり、起こり得る未来をシナリオに落としこんでいきます。

たとえば、企業活動には、大国の金融破綻、大災害、テロ、パンデミックといったもっとも大きなグローバルな不確実性のレベルから、自国の成長戦略、環境問題への対応、移民政策、税制改革などの国家戦略レベル、そして市場や産業の変化、業界内のルールの変化、もっとミクロには、社員の価値観の変化など様々なレベルでの不確実性があります。つまり、ミクロからマクロまで、あらゆることが起きる可能性があるということです。未来シナリオでは、それらが全部起きるかもしれないとしたうえで、戦略を立てていきます。

オランダでは、政府の干渉を受けないシンクタンクが、本気の未来シナリオをつくるそうです。何が本気かというと、何の落としどころもないニュートラルな立場で、できる限りの叡智を結集して未来を描くのだといいます。もし、たった一つの未来ビジョンを描くのであれば、そこには「何らかの主張」が必要になるでしょう。ですが、「起こり得る未来」をすべて明らかにしようというアプローチは、そこに客観性を持たせることができるのです。

わかりやすくするために、ちょっと極端な例をあげたいと思います。たとえば「ゼロックスの未来は、やっぱりコピーなのか？」という問いがあったとします。長期計画的なアプローチだと、「未来はコピーではなく、ナレッジサービスである」といった主張がなされ、「そう思う」「そう思わない」という議論になります。一方、未来シナリオのアプローチでは、未来に起こり得ることをすべてふまえたうえで、「ゼロックスが未来においてもコピーを提供している」「ゼロックスの未来は広告事業にある」「ゼロックスの未来はナレッジサービスだ」といった、あらゆる可能性を検討していきます。事前にお互いの主張を空中戦でぶつけ合うのではなく、あらゆる可能性（もしくは不確実性）をしっかりと可視化したうえで、「何が起こるとどのシナリオに転ぶのだろうか？」と対話を進める材料にしていきます。

オランダの話に戻りましょう。政党が主張をぶつけ合うときには、未来シナリオを明確に示したうえで、「だからわれわれはこう行動する」とマニフェストを訴えるそうです。そして、各省庁は自らのドメインごとに、未来シナリオを具体化していきます。このようなかたちで、全体最適に沿った一貫性ある施策の実施が可能になるのです。

「お役所的発想」を取り払うための装置

「未来シナリオ」と並んで、フューチャーセンターの大きな役割は、「創造性と直観力」を高めることです。

オランダ国税庁のシップヤード、同じくオランダ治水交通省のLEFという二つのフューチャーセンターは、どちらも「創造性と直観力」に重きを置いています。では、どのようにすれば「創造性と直観力」が高められるのでしょうか。この二つのフューチャーセンターが力を入れているのが、「マインドセットを変える」ことです。いわゆる「お役所的発想」を取り払い、「複雑な問題に対して創造的にアプローチする」ために、ファシリテーターの力はもちろんのこと、発想転換のための映像を見ることによる効果、ブレインストーミングの専用空間、ブレインスティルという内省のための専用空間など、物理的環境の及ぼす効果を徹底追究しています。

デンマーク政府も、創造性と直観力に力を入れた、マインド・ラボというフューチャーセンターを持っています。マインド・ラボは、独自のイノベーションの型を持ち、広い意味でのデザインの力を社会イノベーションに役立てています。

ここでは若手の起業家支援から、国税庁が導入するシステムのユーザーインターフェースのデザイン、さらには産業振興の支援まで、ありとあらゆるイノベーションプロジェクトを手がけています。たとえば、養豚場とスーパーマーケットの観察調査から、豚肉の製造、加工、流通、販売にわたって必要なルールは何か、どんな法整備が有効なのか、といったサービス・イノベーションの提言を行ったりもします。こんなイノベーション組織が政府にあるなんて、とても素敵ではありませんか。

日本も天然資源の少ない国です。欧州の国々同様、知的資本に注目し、高めていく必要があります。にもかかわらず、高度成長期の間、私たちは世界中から資源を買ってきて加工し、それを世界中に売りまくるという「労働生産性最大化」に邁進してきました。私たちの知識は、「買ってきた資源を加工する」ところに重点的に使われてきたのです。ですから、そこから得た利益の使いみち、つまり「どのような社会をつくっていくか」というモデルは「先進国の後追い」になりがちでした。その結果、「問題を与えられれば解くのは最高にうまい」が、「自ら問題提起することが苦手」という状況に自らを追い込んできてしまったのです。

日本の未来は、現在の延長では描ききれません。「労働生産性最大化」は、二つの意味で立ち行かなくなりました。一つは環境問題です。無限の資源を前提に生産性を考えることはできなくなりました。もう一つは、新興国の台頭です。日本の生活レベルの向上による賃金上昇は、新興国とは比べものにならないくらいに労働生産性を下げてしまいました。しかし、このことは悲観すべきことではありません。むしろ、「やっと本来の知的資本への注目に戻れる」と前向きに捉えていきたいと思います。

知的資本に着目した成長戦略を描くのであれば、生産性を高めるための賃金カットを考えてはなりません。賃金を下げる、つまり労働者の価値が下がるということは、知的資本の低下を意味します。むしろ、賃金が高く払える仕事に、自社の事業をシフトしていかなければならないのです。

企業の未来創造戦略の中核機能

自国、自社に閉じたプロセスは、捨てていかなければなりません。P&G社が**コネクト&デベロップ**という戦略を打ち出し、自社の技術課題を公開し、解決法を公募する斬新なやり方でイノベーションのスピードを向上させたことは有名です。自社の強みを持つことはもちろん大事ですが、産業を超えた異業種との対話、セクターを超えた政府やNPOとの対話、さらには国や文化を超えた対話から、新たな価値を発想することにより、知的資本の一つである関係性資本を豊かにしていくことができます。

しばらくは企業再編などで何とかなるのではないかと淡い希望を持ちたくなるくらい日

本の国内市場はまだまだ巨大です。しかし、この市場が確実に縮小していくことは人口動態上明らかです。しかもものすごい勢いで。日本国内の各企業にとって閉じたプロセスから脱却することは喫緊の重要課題になってきています。「グローバル化とイノベーションに成功しなければ、明日はない」とばかりに多くの企業が危機感を強めていることが、企業のフューチャーセンターに対する感度の高さにつながっていることは、疑いがありません。

では、日本はこの状況をどのように乗り越えていけばいいのでしょうか。

賃金の高い仕事をつくり、外部との関係性を豊かにする——という知的資本経営の原則を貫くことで、未来の資本を高めていくことができます。そしてその未来の資本や潜在能力をビジネス上の成果として顕在化させるためのファクターが、経営における「未来創造戦略」になります。それを支える中核機能が、「フューチャーセンター」です。

日本は、労働生産性最大化の神話を手放し、未来創造戦略に大きく舵を切るときです。すでに、あらゆる産業、あらゆるセクターで、気づいた人が舵を切り始めています。まだそれらの活動は点在しているにすぎませんが、近いうちにネットワーク化され、多数派になっていくことでしょう。今度こそ、日本が知的に精神的に、本当に豊かになるときです。

企業変革とイノベーション

二〇一一年、フューチャーセンターを立ち上げようという意志を持った企業七社、非営利三団体が集まり、一緒にフューチャーセンター・セッションの学習と実践を行う半年間のプログラムを開催しました。七社の企業は、大手電気通信メーカー二社、飲料食品メーカー、自動車メーカー、電子素材メーカー、空間設計会社、社会インフラ会社と、様々な業界から参加しました。非営利団体も、子どもの教育、患者支援、高齢者支援と、多岐にわたりました。各社三名ずつのメンバーが参加し、三〇人弱の多様な参加メンバーの間には新たな関係性が生まれました。そして、市場や社会のイノベーションを起こしていきたいという意志を持つ同志になりました。

このコミュニティメンバーが学んだことは、違う業界やセクターの同志ほど、頼りになるものはないということでした。企業が新しい発想でイノベーションに取り組もうとするとき、社会起業家の情熱と洞察力ほど、大きな刺激になるものはありませんでした。企業から来たメンバーは、自社の組織変革をねらったセッションで、ここで出会った社会セクターの同志たちをいかに自社から来たメンバーにとっての**「未来のステークホルダー」**にするか、という点にこだわるようになりました。社内メンバーが自ら気づきを得ることほど、その後の変革の後押しになるものはないからです。

企業がフューチャーセンターに取り組む理由には、次の三つのレベルがあります。

レベル❶ 企業の中に対話の文化を育みたい
レベル❷ 組織横断でスピーディに問題解決できるようにしたい
レベル❸ 社外ステークホルダーとともにイノベーションを起こしたい

興味深いことに、どのレベルの問題意識から入っても、結局同じようにレベル❶から順にレベル❸まで辿っていくことになります。なぜなら、レベル❶がなければ❷はなく、レベル❷がなければ❸はないからです。

企業が大きくなると、部門間にコミュニケーションの壁ができてしまいがちです。それぞれの事業部は、顧客に対して熱心に仕事をすればするほど、部分最適に陥っていきます。他の事業部と連携すれば、もっと大きなソリューションに発展する可能性があっても、自部門の売上が最大になる提案をして満足しがちです。もし各事業部が、現場で回答できないニーズをフューチャーセンターに持ち込んだら、何が起きるでしょうか。フューチャーセンター・ディレクターが社内外の様々なステークホルダーを招いて、創造的かつスピーディに問題解決したならば、事業部は顧客に対して新たな付加価値を提供できるかもしれません。

フューチャーセンターに専門部隊を抱え込む必要はありません。フューチャーセンター・ディレクターはテーマに応じて、専門的な知見のある人、その領域の実践者、その問題解決時に活躍してほしい人などを招き、関係性を築く対話の場を持つのです。

フューチャーセンターの効用

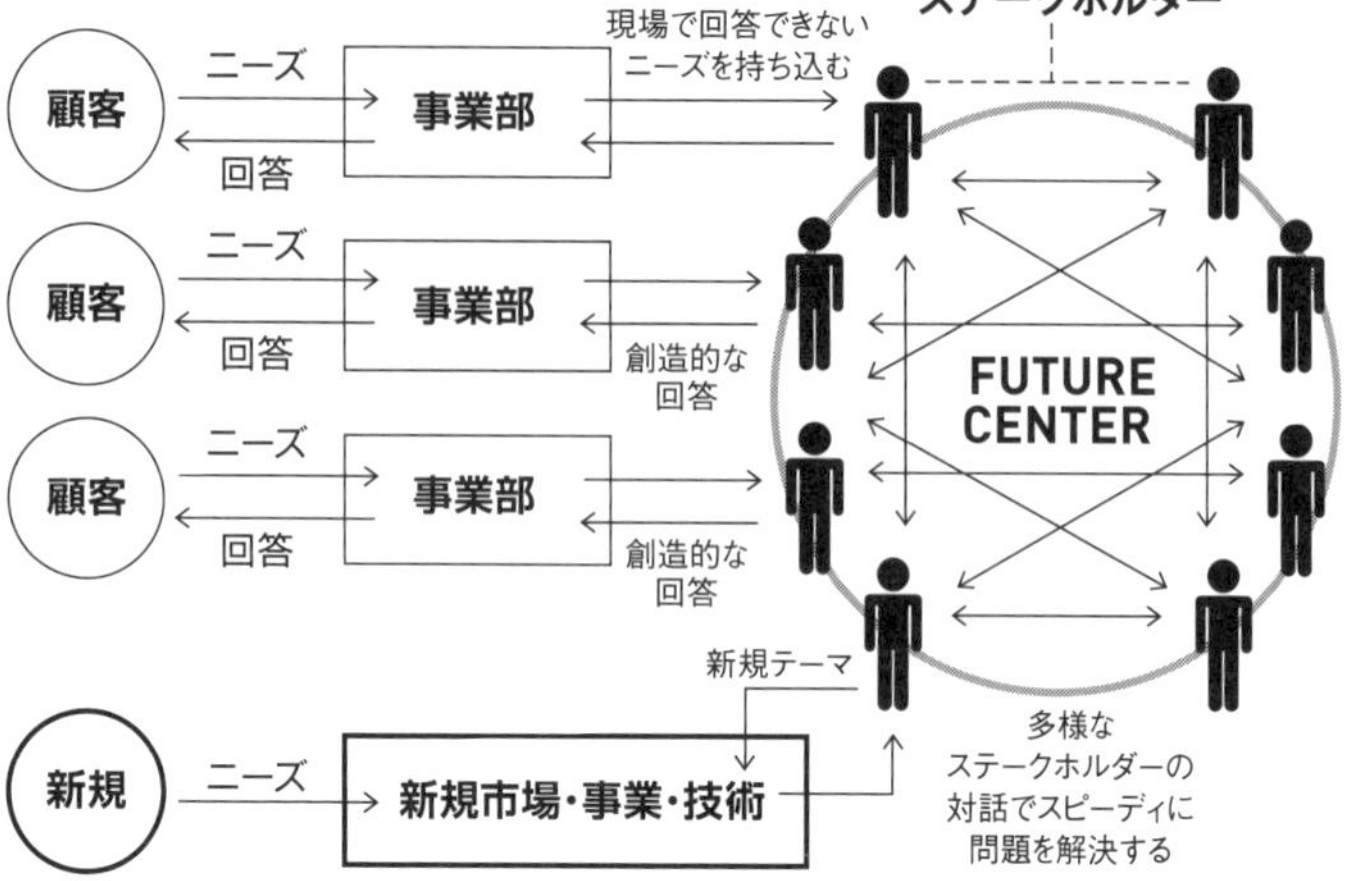

企業がイノベーションに向かっていくうえで、フューチャーセンターが有益であることを頭で理解することは難しくありません。しかし、本当に立ち上げるためには、「フューチャーセンターを立ち上げると、具体的にどんな成果が出るのか?」という、多くの人から向けられる疑問に答える必要があります。

ここに、「会社を変えようとする真面目なリーダーが陥りやすいワナ」があります。それは、「フューチャーセンターがいかに自社に役立つかを論理的に説明し、成果を約束しようとする」ことです。企業人としては正しい振る舞いなのですが、新しいパラダイムの仕事の価値を、古い分析的パラダイムの価値観で評価することになってしまいます。「フューチャーセンター・セッションをすれば新製品のアイデアが生まれるのか?」「フューチャーセンター・セッションをしていけば新事業が生まれるのか?」といった他人事の質問には、要注意です。後述する「儲かりますパラドックス」に陥らないために、目標を高く持ってください。同じセッションに参加しても、そこからイノベーションを起こす人もいれば、何の気づきも得ずに元の仕事に戻る人もいます。

「どうやったら他の社員の意識を変えられるか?」という問いを捨てて、「自分は新しいパラダイムに変われるだろうか?」「このアプローチを成果が出るまでやり抜く情熱を持ち続けられるだろうか?」と自分に問いなおしましょう。他人を説得することを手放すと、自分自身がやらなければならないことがまだたくさんある、ということに気づくでしょう。「イノベーションが起きますよ」という説得をするよりも、「本当にイノベーションが起こせるだろうか」という自分自身の心の問いに向き合うのです。

フューチャーセンターがあると組織の壁を超えられる

「私が法律を変えます！」

二〇一二年一月のある土曜日、二子玉川でフューチャーセンターのネットワークを立ち上げようという同志一二〇人が、一堂に会しました。会場は超満員で、何がこれから起きるのか、という期待感に満ちあふれていました。企業、NPO、そして行政からバランスよく参加者が集まり、未来に向けての対話に夢中になりました。

高齢化社会を考えるフューチャーセンター、子どものためのフューチャーセンター、認知症のフューチャーセンター、食のフューチャーセンター、横浜市のフューチャーセンター、石巻から未来を創るフューチャーセンター、保険会社のフューチャーセンター、情報通信会社のフューチャーセンター、出版社のフューチャーセンター。様々なフューチャーセンターのアイデアが、飛び交いました。その晩に立ち上げられたフェイスブックの非公開グループは、当日参加した一二〇人から始まり、すぐに三〇〇人以上にふくらみ、たくさんの意見や活動報告が飛び交うようになりました。

その二週間後、同じ場所で、「認知症フューチャーセンター」が開催されました。テーマは、「認知症になっても人生の主人公であり続けられるためのコトのデザイン」。ここにも、八〇人近くが集まりました。平日水曜日のお昼から夕方遅くまで、たくさんの企業から研究企画、デザイン、マーケティング、コーポレートブランディングの担当者が参加し、これにコンサルタントや介護系のＮＰＯが加わりました。

参加者の多くはふだん、認知症問題に取り組んでいる人ではなく、「新たなイノベーションのプロセス」としてのフューチャーセンターに興味を持っていました。しかし、対話が進むにつれ、若い起業家からは「認知症の問題を自分事として考えたことはなかったけど、自分にもできることがたくさんあることに気づかされた」といった意見が出てきました。非営利セクターから参加した認知症や介護の関係者からは、「認知症のテーマにこれほど多くの企業人が参加し、真剣にアイデアを出す姿に希望を感じた」という声があがりました。医療・介護の閉じた領域に、イノベーティブな企業がたくさんのアイデアとリソースを持って参加してくる可能性を感じるセッションになりました。

「遠くの友だち」ほど頼りになる

「フューチャーセンターが、社会イノベーションを促進する可能性を持っている」。このことを多くの人が頭では理解できるようになってきました。その一方で、異分野から多様なステークホルダーを集めることの難しさ、集まった人たちが未来志向でお互いを尊重し合って対話をするようファシリテートする難しさを感じてしまい、次のアクションを起こせないでいる人がたくさんいます。

そこで重要になってくるのが、フューチャーセンターのネットワークです。複数のフューチャーセンター間で連携し合い、フューチャーセンター・ディレクター同士で相談し合い、相互に「未来のステークホルダー」として振る舞うのです。このようなフューチャーセンター間のシナジーは、フューチャーセンターを複数の組織で同時に立ち上げるときに、必ず起きます。フューチャーセンター・セッションを企画する際に、「フューチャーセンターを理解している、遠くの友だち」ほど、頼りになるものはありません。自分たちの組織にとっての非常識を外から持ち込んでくれるからです。

フューチャーセンターのネットワークは、異なる分野の間での「思いもよらないつながり」を生み出すことができます。たんなるフューチャーセンターの寄り集まりではなく、異なるセクター間で協調して、イノベーションを起こしていくネットワークになるのです。たとえば、高齢化社会を考えるフューチャーセンター、子どものためのフューチャーセンター、横浜市のフューチャーセンター、情報通信会社のフューチャーセンターが、同じテーマでそれぞれの場で対話を行い、お互いが相手のフューチャーセンター・セッションに参加し合ったとしたら、何が起きるでしょうか。NPOのフューチャーセンター・セッションに、横浜市の職員も情報通信会社の研究者も、ゲストで参加します。情報通信会社の研究所で開かれるフューチャーセンター・セッションにも、NPOや、横浜市からゲストが参加します。それぞれの背景や文脈の違いを深く理解し合い、一緒に協調的アクションを起こせば、社会を変えていけることに気づくに違いありません。

社会イノベーションの難しさをどうやって乗り越えるか

ビジネスのイノベーションでは、イノベーター同士の競争の中で、新たな市場のニーズを見つけてビジネスのルールを変えたプレイヤーが勝利します。企業や起業家にとって、イノベーションを起こすことは最優先事項になります。当然、きわめて高いモチベーションで取り組みます。一方で、社会イノベーションは、ビジネスセクター（企業）、パブリックセクター（行政）、ソーシャルセクター（NPO）の三つのセクターのルールを同時に変えることが求められるところに難しさがあります。

企業も行政も、それぞれの担当領域で改善を繰り返しています。しかし企業は、業界の常識の中で市場に向き合っているため、どうしてもマスのニーズにしかサービスを提供できません。行政は、あらゆる市民に平等な政策を考えようとするあまり、前例踏襲のワナにはまってしまいがちです。NPOは、企業も行政も手を出さない、多様でお金にならない領域を一手に引き受けていますが、その運営は助成金頼りになってしまい、問題の本質的解決にはほど遠い状況です。
もしこの三者が一緒に対話をして、協調してアクションを起こすことができたなら、たくさんの社会イノベーションが起き始めるのではないでしょうか。そのような期待が、フューチャーセンターにはあふれています。

ある市役所と企業が共同開催したフューチャーセンター・セッションで、印象深い出来事がありました。二日間にわたるこのセッションには、市役所と共催企業から一〇名ずつが参加し、それに加えて他の企業や大学、ＮＰＯなどから二〇名以上のゲストが呼ばれました。テーマは急速に進む高齢化と、同時に進んでいる大規模団地の老朽化に対し、どのように手を打っていくべきか、というものです。古くなった団地をただ建て替えるのでは、これからのニーズに合うはずがありません。多様な参加者による対話とプロトタイピングから、郊外住宅のあるべき姿について、とても自由なアイデアが生まれました。しかし、「空き地のシェア活用」や「街全体の実験」を実現するには、クリアしなければならない問題がたくさんありました。

セッションの終わりに、全員が輪になって一人ずつ感想を述べているときのことでした。市役所の職員の一人が、「上司の前で言うのはなんですが、今日のアイデアを実現させるために、僕が規制の抜け道を探します！」と宣言しました。そして上司に順番が回ってくると、「私が法律を変えます！」とさらに上をいく宣言をしました。

これはもちろん、約束ではありません。フューチャーセンター・セッションという安全な場で、心からあふれる想いが言葉になったのです。この二人の職員がこの日にみんなで生み出したアイデアを実現させたいと、市役所に戻っても知恵を絞っている姿が、私には目に浮かびます。変化は、一人ひとりの人間の中で起きていくのです。

フューチャーセンターがあると街が変わる

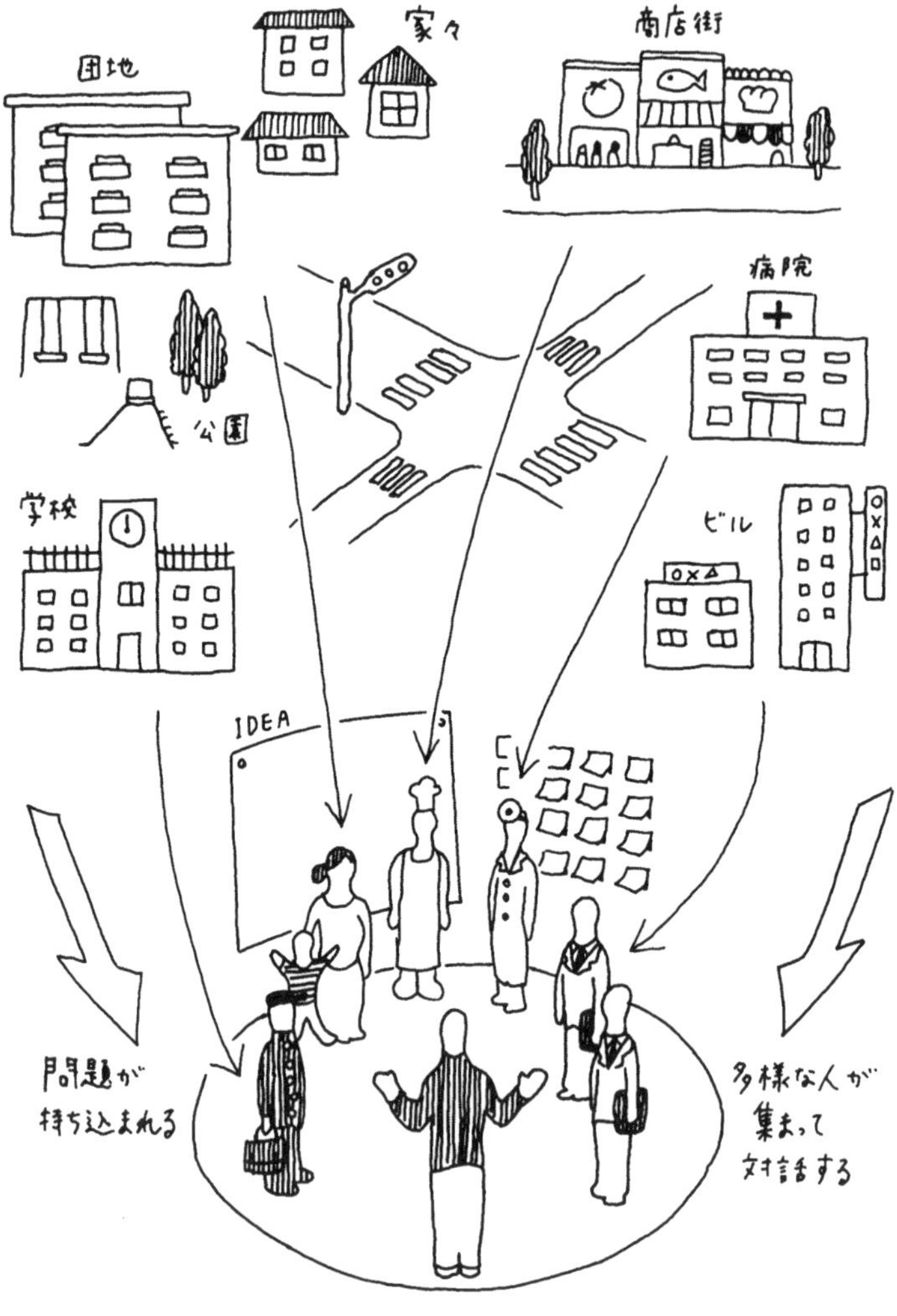

「儲かりますパラドックス」

私がフューチャーセンターに惚れ込んでいるのは、新しい商品やサービスを生み出す企業イノベーションのワクワク感と、世の中にある問題の解決をめざした社会イノベーションのホカホカ感が、両方同時に味わえるところです。しかし、企業の中でこのようなワクワク感を感じられるシーンは、確実に減ってきています。社会起業家も同様で、ホカホカ感よりも、無力感や孤立感を感じることが多いのが現実です。なぜでしょうか。

まず企業から考えてみましょう。企業はこれまで、「世の中に不足しているモノ」をつくることで価値創造をしてきました。他の国にはあるモノがないとか、食べ物が不足しているといった、「不足」のニーズを埋めることは、比較的簡単なイノベーションでした。でも、今はそんな時代ではありません。

多くの企業が、イノベーションを起こせなくなっています。もっと売れる携帯電話、もっと売れる自動車、もっと売れるマンション、もっと売れるお茶。どの商品も街にあふれています。そこで「差別化」が謳われ、新機能満載の商品が広告費をかけて売り出されます。しかしそれはシェア争いをしているだけで、イノベーションとは程遠いレベルの価値創出にとどまっています。あらゆる業界に、大きな発想の転換が求められているのは確かです。

私は多くの企業で、イノベーションを起こすためのプロジェクトに関わってきました。そこでの最大の学びは、あらゆる失敗の原因は「プロジェクトの提案プロセス」にあるということです。

この失敗パターンは、「イノベーションを計画する」という矛盾にあふれた困難さに起因するものです。社内で提案を通そうとするあまり、「必ず成果は出るんだろうな？」と経営層に問われ、「もちろんです」と答えさせられてしまいます。これを私は「儲かりますパラドックス」と呼んでいます。ビジネス成果を目標に据えた瞬間に、「既存の価値観で新しいものを評価する」ゲームに絡め取られてしまうのです。

このパラドックスにはまっていることは、プロジェクトが進むに従って次第に明らかになってきます。序盤のアイデア出しまでは盛り上がっても、事業を構想する段階で、新しいアイデアを正当化する材料がなく、どんどん角が取れた事業プランになっていくのです。そうなると、せっかく提案を通して始めたプロジェクトにもかかわらず、失敗のプレッシャーから、チーム全体にやらされ感が漂い始めます。

では、どうスタートさせればよいのでしょうか。それは、「目的を再定義する」ことを最大の目標に据えることです。もし「儲かるのか？」と問われたならば、「儲けようと思うから儲からないんです、市場は縮小しているんです」と正面から受けとめましょう。そして、「社会的インパクトを必ず出します、企業価値を高めます」と続けて言い切ります。目的を儲けることから企業価値を高めることへ定義しなおすのです。あくまで正論を貫き通すことで、イノベーションの種が窒息しないよう、空気穴を開けておくことができます。

イノベーションを起こすのは、容易ではありません。新たな価値の発見のみならず、それを提供できるように、社内変革も同時に実行しなければなりません。社会的価値の理想像を掲げ続けることで、社内の意識が変わります。これこそ、イノベーションをねらったプロジェクトを成功に導くための必要条件なのです。

さて、「儲かりますパラドックス」にはまらずにプロジェクトをスタートできたら、次は社会価値に焦点を当てたイノベーションの仕掛けを行います。そこで同盟を組むべきは、社会起業家です。

社会起業家たちは、「儲かりますパラドックス」とは真逆の、「社会貢献パラドックス」に陥っています。「社会のため」を掲げすぎてしまったがために、きちんとした対価を得られず、自転車操業から抜け出せません。

こんなときに思うのです、「フューチャーセンターがあったらいいのに」と。フューチャーセンターならば、企業のイノベーションに対する欲求と、社会変革の目的を一致させることができます。セクターの壁を超えて企業と社会起業家、行政までもが一緒に対話をすることができます。

フューチャーセンターがもたらす最大の価値観の転換は、「企業のイノベーターが、社会問題を解決するパワーを持っている」ということです。これまでであれば、社会問題は企業にとってはできれば避けたいものでしたが、これからの時代は、社会問題こそイノベーション活動の中心に置かれるものになります。

企業がイノベーションを起こそうとしたとき、社会問題に深くコミットした社会起業家は、プロジェクトの水先案内人になります。それと同時に、企業の持つ大きな資源は、社会起業家の活動を持続的に広げてくれるのです。これが、企業のワクワク感と社会起業家のホカホカ感の美しい出合いになります。

フューチャーセンターは、「創造的（クリエイティブ）」な発想でセクターの壁を超え、「対話（ダイアログ）」によってセクター間の新たなつながりを生み出します。そのつながりのなかで、企業と社会起業家が手を取り合って、一緒に社会と市場を変革し、新たな産業を生み出していくのです。

第2章

フューチャーセンターの思想

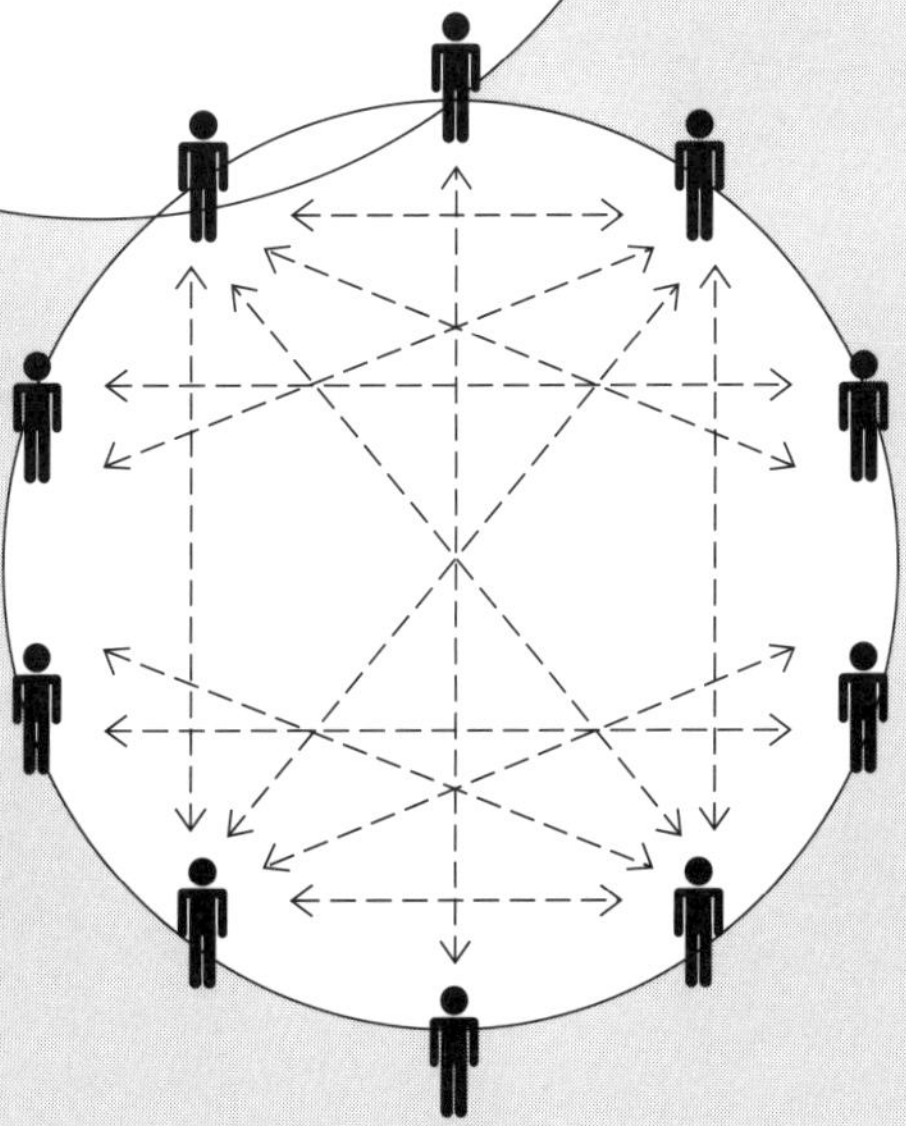

賢慮型リーダーシップ

フューチャーセンターには、きわめて強力な「思想」があります。「世界観」と呼んだほうがしっくりくるかもしれません。その世界観とは、「世界は私たち一人ひとりの関係性でできあがっている」というものです。

今、日本人のなかに「ヒーローが現れてほしい。その人が何か変えてくれるはずだ」という依存的マインドが広がっているように思います。これは、フューチャーセンターの思想と相反する発想です。

フューチャーセンターでは、このように考えます。

◉社会や市場のエコシステム（生態系）をつくっているのは、私たち一人ひとりの関係性である

◉今日この部屋にいる一〇〇人がネットワークするだけで社会は変わる

◉「未来のステークホルダー」を選ぶ（誰とネットワークするか）のは、私たち一人ひとりの意志である

◉社会イノベーションが起きるかどうかは、私たち一人ひとりの行動の結果である

◉このような考えを具現化したのがフューチャーセンターである

つまり、誰もが社会イノベーションの一翼を担う力を持っているということ、逆に言えば、誰もが社会イノベーションの阻害要因にもなり得るということなのです。

このような世界観を持つと、「新しいつながり」を広げることが、そのまま「イノベーション」の可能性を広げることを意味するようになります。そんな経営者やプロジェクトリーダーが増えて、金融システム、情報システム、不動産開発、通信機器開発、流通チェーンなどのあらゆる現場で、社会イノベーションを起こしていくことが、私たちの社会を変えることになるのです。

フューチャーセンターの目的は、未来を自分たちの力で創り出すことです。そのために、既存の枠組みを超えて、未来のステークホルダーとの関係性を築き、ともに発想し、行動していくのです。

私が勤務する富士ゼロックスKDIのフューチャーセンター・デザインプログラムには、二〇一〇年度は九社の企業が、二〇一一年度には七社の企業と三つの非営利団体が参加し、産業やセクターを超えて協力し合いながら、それぞれのフューチャーセンターを立ち上げる活動を進めてきました。そのなかでは、既存事業ではライバルの企業も、未来創りの観点では協業することができています。それぞれが主催する未来を創り出すセッションには、お互いを招待し合い、知的にぎわいを生み出しています。さらに、ここにソーシャルセクターが参入したことで、イノベーションの視野が一気に広がりました。

想像してみてください。日本の大企業の経営企画、研究企画のメンバーたちが、企業を超えた枠組みで、社会課題をどうやって解くかNPOのリーダーと真剣に対話している姿を。

先日、野中郁次郎先生（一橋大学名誉教授）と、これからの企業のリーダーシップについて話す機会がありました。野中先生は、「ワイズ・リーダー」という論文をハーバード・ビジネス・レビューに書き、米国でもたいへん話題になっていました。社会善をめざす経営者が現れないと、このままでは資本主義社会そのものが崩壊してしまう、という危機感がウォールストリートにも広がっているといいます。先生の言葉の中には、いまこそ日本型経営を世界に発信するときだ、という想いがあふれていました。

野中先生が論文で示した「賢慮型リーダーシップの6つの能力」は次のようなものです。

❶卓越した「善い」目的をつくる能力

❷他者と文脈／コンテクストを共有して場を醸成する能力

❸個別の本質を洞察する能力

❹個別具体と普遍を往還／相互変換する能力

❺その都度の状況のなかで、矛盾を止揚しつつ実現する能力

❻賢慮を育成する能力

この「6つの能力」が、まさにフューチャーセンターを立ち上げ、成功に導くためには必要です。

フューチャーセンターを成功させるための必要条件として、戦略、方法論、空間、ファシリテーション技術など、多くの要素があります。しかし、その成否を分かつのは、フューチャーセンターを立ち上げるリーダーの、「賢慮に基づく人間力」になるでしょう。具体的には、「卓越したよい目的を設定し、よい場をつくり、本質を洞察し、各ステークホルダーにとっての個別具体の文脈をセットし、矛盾を乗り越えるファシリテーションを行う」ことです。これができるリーダーがいなければ、フューチャーセンター・セッションで創発を起こすことはできません。

このような社会変革装置としてのフューチャーセンターを立ち上げ、複雑な社会問題を解決に導いていける人を、私は敬意を込めて「フューチャーセンター・ディレクター」と呼んでいます。

「世界は私たち一人ひとりの関係性でできあがっている」という価値観を共有し、賢慮型リーダーシップの能力を備えたフューチャーセンター・ディレクターが、日本全国の各地域、そして世界の各地域に存在して、お互いにテーマを共有しながら社会変革を起こしていく。それが、これからの社会の新しいインフラストラクチャーになると信じています。

フューチャーセンターの「6つの原則」

もしフューチャーセンターが、会議室のようなたんなるツールにすぎなければ、「複雑な社会問題」を解決することはできません。
もしフューチャーセンターが、たんに問題を抱えたステークホルダーが集まり、議論をするだけの場であるならば、問題解決の可否はファシリテーターと参加者の能力次第になってしまうでしょう。それでは、フューチャーセンターの価値が半分も発揮されません。

フューチャーセンターには、セッションを成功させるための「原則」があります。それを私は、「対話の場づくり」の伝道師であるボブ・スティルガー氏と、欧州のフューチャーセンター・アライアンス共同創業者のハンク・キューン氏と一緒に、明らかにしてきました。「フューチャーセンターの6つの原則」とは、次のようなものです。

❶フューチャーセンターでは、想いを持った人にとっての大切な問いから、すべてが始まる

❷フューチャーセンターでは、新たな可能性を描くために、多様な人たちの知恵が一つの場に集まる

❸フューチャーセンターでは、集まった人たちの関係性を大切にすることで、効果的に自発性を引き出す

❹フューチャーセンターでは、そこでの共通経験やアクティブな学習により、新たなよりよい実践が創発される

❺フューチャーセンターでは、あらゆるものをプロトタイピング（試作）する

❻フューチャーセンターでは、質の高い対話が、これからの方向性やステップ、効果的なアクションを明らかにする

これらの原則を深く理解し、フューチャーセンター・セッションを設計することで、きわめて高い確率で「よい場」をつくることができるようになります。よい場の条件とは、参加者が多くの気づきを得て、何か行動を起こしたくなるような、新たな関係性が生まれることです。もちろん、このことは「複雑な問題解決」とはイコールではありません。ここは、フューチャーセンターを理解するうえで、たいへん重要なポイントです。

アウトプットを出すために、よいアイデアを持っている人だけが発言するような雰囲気をつくってしまっては、それは決して「よい場」とはいえません。アウトプットよりも、まず全員が参加し、気づきを得るプロセスを大切にします。そして、そこから「集合的な知恵」が創発されてくるのを待つのです。ファシリテーターにとって最大の責務は、「創発されてきたよいアイデア」を逃さずつかみ取り、全員の目に入る場所に大きく提示することです。「創発が起きたぞ！このアイデアでブレークスルーできるぞ！」というムードを演出するのです。

では、このような「よいプロセスが創発を導く奇跡」が起きるために、「6つの原則」がいかに重要かを順に述べていきたいと思います。

❶ 想いを持った人にとっての大切な問いから、すべてが始まる

最初の原則は、「問い」の質に関するものです。情熱のない問いは、何の変化も起こしません。さらにその問いに、社会的な共通善が含まれていなければ、「未来のステークホルダー」に対話に参加してもらうこともできません。問いの質を高めるためには、つねに社会全体のことを考えて行動することです。組織の論理で行動している人は、問いもどうしても内向きです。

❷ 新たな可能性を描くために、多様な人たちの知恵が一つの場に集まる

多様な人たちを集めるのは、やさしいことではありません。合理的な人生を送っていればいるほど、近い領域の人とばかり付き合うようになります。社会的テーマを掲げて多様な人を集めようとしたとたんに、自らの人脈の狭さに愕然とする人は少なくないでしょう。できる限り多様な、たくさんのコミュニティに属すようにしましょう。遠回りのようですが、それが最大の近道です。

❸ 集まった人たちの関係性を大切にすることで、効果的に自発性を引き出す

この原則は、「奇跡」を起こすうえでもっとも重要なポイントになります。一人ひとりの話をきちんと聴く、それもできるだけ少ない人数に分かれて「傾聴」します。そうすれば、確実に関係性が深まります。そのためには、全員でディスカッションするような雰囲気よりも、少人数でインフォーマルに対話する機会を多くつくるのが効果的です。人は、自分の話を聴いてもらえていないと感じるとネガティブになります。参加者全員が相互に話を聴くことで、全員のポジティブなパワーを引き出すことができるのです。

❹ そこでの共通経験やアクティブな学習により、新たなよりよい実践が創発される

新しいアイデアは、うんうんうなっていれば思いつくものでもありません。時には、「実際にやってみること」が、思いもよらないグッド・アイデアを生み出してくれるでしょう。セッションが終わったときに、自分たちの出したアイデアがどれだけ素晴らしいものなのか判断できない、ということもよく起きます。でも、安心してください。それは、

創発のパワーが、一人ひとりのイマジネーションを超えたアウトプットを出してしまったということなのです。

❺ あらゆるものをプロトタイピング（試作）する

仮説の段階でそのコンセプトの完成度を高めるよりも、とにかく目に見えるかたちに表現してみることです。一人ひとりが異なるイメージを持っていたことに気づくこともあるでしょうし、具体化する際によいアイデアが「降りてくる」こともあるでしょう。プロトタイピングのかたちは、絵でも、コラージュでも、システム図でも、物語でも、何でも構いません。表現をサポートするツールが、フューチャーセンターにはあふれています。

❻ 質の高い対話が、これからの方向性やステップ、効果的なアクションを明らかにする

アクションプランは、「やらねばならないこと」であることが多く、往々にして、「なぜそれをやらねばならないのか」が共有されていません。それに対して、質の高い対話が

生み出すものは「一緒にやりたいこと」です。そこには、めざしたい方向性の共有があり、そして具体的なステップのイメージが物語として共有されています。お互いの状況を深く理解していれば、効果的なアクションをとることも難しくありません。

これら「6つの原則」は、ハウツーではありません。ファシリテーターの「あり方＝being」に関わるものばかりです。これらの原則を守りながら、「よいプロセスが創発を導く奇跡」を起こしましょう。このような奇跡が起きることをファシリテーターが強く、強く信じること。それはつまり、参加者全員を信頼することです。多様性ある参加者が力を合わせれば、複雑な社会問題も解決していける、そう強く信じることがすべての始まりです。あとは、参加者の力に任せて、奇跡が起きるのを待つばかりです。

フューチャーセンター・ディレクター

フューチャーセンターには、「フューチャーセンター・ディレクター」と呼ばれる、いわば「フューチャーセンターの経営者」が必要です。フューチャーセンター・ディレクターは、フューチャーセンターのミッション、扱う問題の領域を決めます。これが、そのフューチャーセンターの持つ特性になり、その場に集まってくる人たちの傾向を決めます。持ち込まれた社会的課題のうち、どのテーマを取り上げるかどうかを判断したり、テーマを社会善に向かって大きくストレッチさせたりすることもディレクターの仕事です。

フューチャーセンター・ディレクターは、フューチャーセンター・セッションをホストするファシリテーターを務めることもあります。特に立ち上げ初期や、新しいテーマに取り組み始めるときなどは、ディレクターが自ら問題に深く関与する姿勢が求められます。

しかし、フューチャーセンター・ディレクターの役割は、一つの問題解決を支援するファシリテーターにとどまるものではなく、フューチャーセンター全体の活動を通して、組織変革や社会変革をデザインすることです。ですから、それぞれのフューチャーセンターの個性は、「フューチャーセンター・ディレクターの生き様」が色濃く反映されることになります。フューチャーセンター・ディレクターは、強い「想い」を持っていなければなりませんし、また他人の「想い」を引き出し、「パワフルな問い」を立てられる人でなければなりません。

フューチャーセンター・ディレクターに必要な特性をあげるならば、情熱、好奇心、共感力、それらを統合した人間的魅力でしょう。こういった価値観を大切にしていて、つねにそれを高める生き方をしていることが、ディレクターとしての要件になると思います。

フューチャーセンターには、様々な課題が持ち込まれます。たとえば、あなたが携帯電話をつくっている会社のフューチャーセンターを立ち上げたとしましょう。そこには、「もっと売れるスマホ」のような課題が持ち込まれるかもしれません。その悩みは、国内市場は縮小するし、海外市場は海外メーカーとのコスト勝負に陥り、どう戦っていいかわからない、といったものでしょう。

そこでのディレクターの役割は、活を入れるところから始まるべきかもしれません。「自社の事情ばかり考えていたら、誰も協力なんてしてくれませんよ。社会のために、あなたの事業はどんな価値を提供したいのですか」と迫らなければなりません。つまり、解決すべき問題を自社都合、自分勝手な問題設定から、より高い社会的テーマに引き上げるのです。そこでもし、「私としては、スマホが売れることよりも、家族の絆をもっとサポートできないかと思っているんです」といった想いが引き出せたなら、そこから一気に世界が開き始めます。

「コミュニティの新たなつながりを生み出し、人を孤立させない社会をつくることはできないだろうか？」といった社会的テーマを掲げてみると、自動車メーカー、ハウスメーカー、食品メーカー、不動産会社、教育産業、そして行政やＮＰＯなど、多くのステークホルダー

社会イノベーション発想

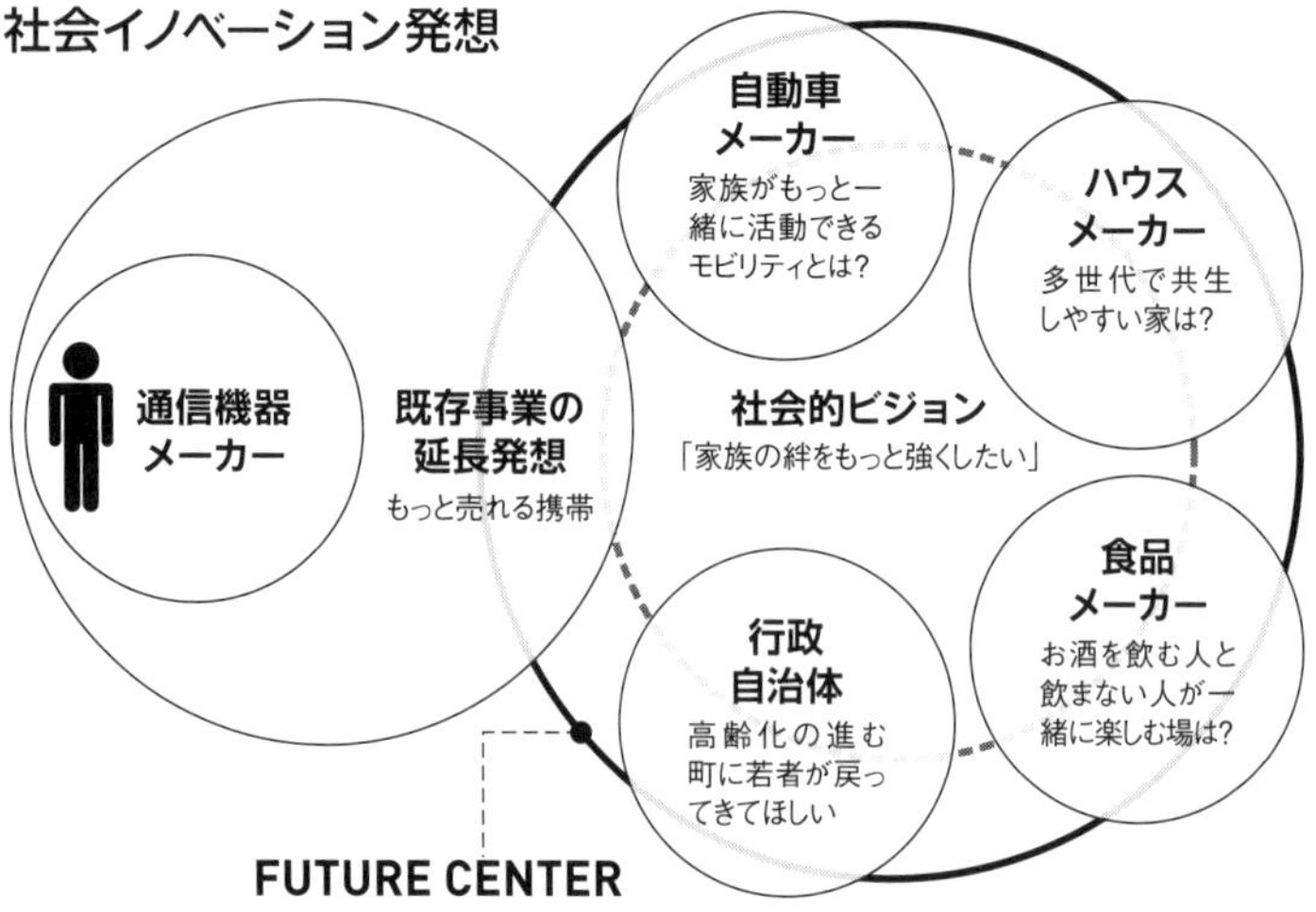
自動車
メーカー
家族がもっと一緒に活動できるモビリティとは?
ハウス
メーカー
多世代で共生しやすい家は?
通信機器
メーカー
既存事業の
延長発想
もっと売れる携帯
社会的ビジョン
「家族の絆をもっと強くしたい」
食品
メーカー
お酒を飲む人と飲まない人が一緒に楽しむ場は?
行政
自治体
高齢化の進む町に若者が戻ってきてほしい
FUTURE CENTER

との対話を始められるようになるのです。これがフューチャーセンターならではのアプローチです。

フューチャーセンター・ディレクターは、自らのネットワークを最大活用し、他の業界、行政、社会セクター、起業家など、多様でかつ共感し得る人たちを、社会的テーマの解決に向けた志の高い場に招待します。

このときもっとも大切なフューチャーセンター・ディレクターの能力は、「ネットワークで社会を変えていく想像力」にほかなりません。「家族の絆」を一緒にサポートできる業界はどこにあるのか、誰がそのことに共感してくれるのか、ということを想像し、その想像力により築き上げた世界観の中に、周囲を巻き込んでいくのです。

あなたがフューチャーセンターを立ち上げようと思ったら、あなた自身がフューチャーセンター・ディレクターになることを真っ先に考えてください。フューチャーセンターは、ハコモノではありません。あなた自身の世界観でつくり上げていく、社会変革装置なのです。

第3章

フューチャーセンター・セッションを開く

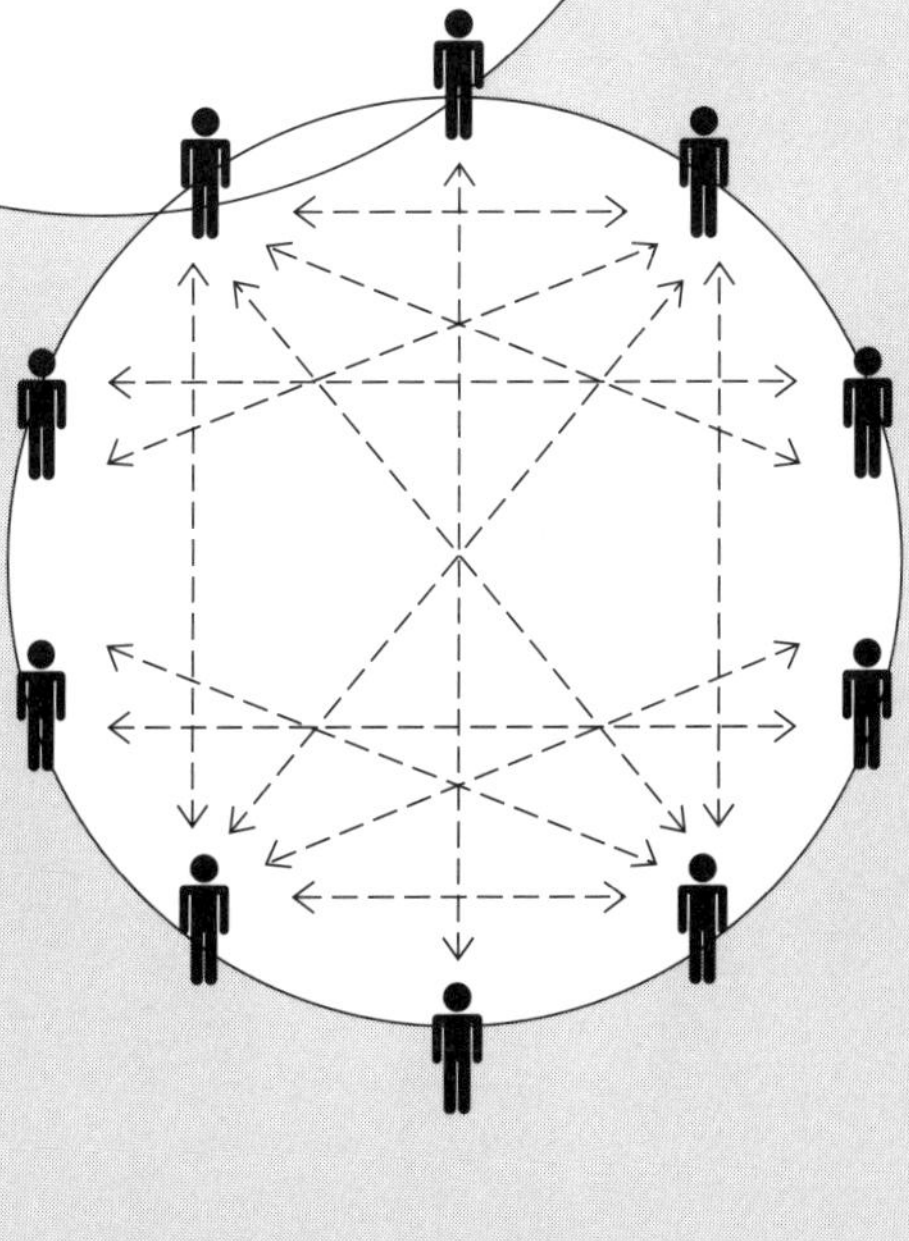

対話、未来思考、デザイン思考

組織にも、コミュニティにも、対話の場が必要です。しかし、井戸端会議や寄り合いが復活するだけでは、十分ではありません。複雑な問題の解決が、フューチャーセンターの最大の目的であることを忘れないでください。

その探求に向けて、私とボブ・スティルガー氏（米国）、ハンク・キューン氏（欧州）の三人は、日・米・欧の知を寄せ合う作業を行いました。そのなかで、スティルガー氏は、アート・オブ・ホスティングという**「対話の方法論」**を持ち込みました。キューン氏は、未来シナリオなどの**「未来思考の方法論」**を持ち込みました。そして私は、**「デザイン思考の方法論」**と日本固有の**「知識創造の場の方法論」**を持ち込みました。

日・米・欧三極の電話会議では、何度となく「激論」が交わされました。論点は、「対話だけで未来を創り出せるのか？」というものでした。

この議論は「フューチャーセンターに必要な方法論が、**対話の方法論**に偏りすぎてはいけない。対話はきわめて重要だが、全体の一部にすぎない」というキューン氏の問題提起から始まりました。対話だけで未来を創り出せるのか、という問いに対し、私自身は以前であれば「ノー」と答えていたと思います。しかし、今は「イエス」と答えたい。その根拠は、数多くのフューチャーセンター・セッション（フューチャー・セッション）の経験の中で紡ぎ出した、**「未来のステークホルダー」**という概念の発見でした。フューチャーセンターで出会ったことにより、あなたの人生を変えるような人たちのことです。

「未来のステークホルダーとの対話が未来を創る」という確信を持つことができると、アウトプットを焦らずに、対話のプロセスを大切にすることができます。多様性の高い参加者の間で、相互理解・信頼の関係性を構築することによって、一つの最適解が存在しない複雑な問題に対して、それぞれの立場から協調的アクションを起こしていくことが可能になるからです。これを抜きにして、いきなり解決を前提に問題の議論を始めてしまうと、異なる立場の人同士が主張し合い、堂々巡りをすることになります。対話の方法論では、個人的な感情や経験などの物語を共有することで、相互理解に加え、自分自身の内省や思考を深めることを促進します。対話は、決して遠回りではなく、最終的にアクションにつながるスピードを高める方法論でもあるのです。

では、本当に、未来のステークホルダーを招いてじっくりと対話をすれば、それで必ず変化が起きるのでしょうか？　この点を何度もキューン氏に問われ、何度も考えました。そして、「対話が未来を創ることに間違いはない」が、同時に、「シナリオプランニングのような確立された**未来思考の方法論**がなければ突破できない複雑な問題も、数限りなくある」ことを認めるに至りました。

未来思考の方法論がもたらす本質的な価値は、「複数の未来シナリオへの集団的意識が、現在のしがらみから私たちを解き放つ」ことです。

どれだけ多様な人たちを集めたとしても、私たちの集団的意識が、現状のしがらみに絡め取られていたならば、それを乗り越えることはできません。たとえば、「創造的なオフィス」を検討しているときに、「オフィスがなくなる」というシナリオを考えてみることで、ブレークスルーが起きることがあります。未来思考をつねにフューチャーセンターの核となる方法論に据え付けておくことで、将来のオプションを増やし、そこから現在の取り得るアクションのバリエーションを広げていくことができるようになるはずです。これが、未来思考の方法論が必要な理由です。

キューン氏からは、もう一つの疑問が提示されました。「対話をすることで、本当にアクションが起きるのか？　対話だけで終わってしまうのではないか？」という点です。そこでもう一つ忘れてはならないものとして、**デザイン思考の方法論**を加えたいと思います。デザイン思考の方法論の本質は、「プロトタイピングづくりで一緒に手を動かすことで、協調的アクションが生まれる」ことです。

フューチャーセンターの運営、フューチャーセンター・セッションの開催、このどちらにも共通することだと思いますが、ぜひ、これら三つのタイプの方法論を理解し、必要に応じて組み合わせて使っていけるようにしていただければと思います（それぞれの方法論の個別項目については、本書巻末の用語集で解説しています）。

【フューチャーセンターの方法論】

❶対話の方法論

相互理解・信頼の関係性を構築する、異質から気づきを得る、内省や思考を深める

たとえば、ワールドカフェ、OST、AI、フィッシュボウルなど

❷未来思考の方法論

複数の未来シナリオを想定する、未来からバックキャストする

たとえば、未来スキャニング、シナリオプランニング、フューチャーサーチなど

❸デザイン思考の方法論

体験から学ぶ、作りながら学ぶ、形にしてみることで改善し続ける

たとえば、ユーザー観察、ブレインストーミング、経験プロトタイピングなど対話の場さえあれば、未来が創り出せるとは限りません。そこには強い意志と、正しいプロセスが必要になるのです。

フューチャーセンター・セッションを開いてみよう

これまでフューチャーセンターの思想や仕組みについてお話ししてきました。ここでは実際にフューチャーセンター・セッションを開催することを考えてみましょう。

フューチャーセンター・セッションは、論理的分析だけでは解決できない複雑に絡み合った問題に対して、「対話」と「未来思考」と「デザイン思考」の力でブレークスルーする場です。「正しい答えを見つけよう」というよりも、その問題を解決するための突破口を見つける心構えを持って臨みます。「複雑な問題」にはシンプルな最適解は存在しないのです。

今までと違う発想で、今までと違うステークホルダーと一緒に問題にアプローチ（対話）し、小さな穴（仮説）を見つけたら、そこを皆で掘って（プロトタイピング）みて、ダメならその次の仮説へ移ってと、突破口をみんなで探していきます。確かめるためには行動してみなければならないこともありますので、そのようなときはフューチャーセンター・セッションを月一回ペースで開催し、その間に調査や実験をしてみるのも効果的です。

ブレークスルーをしていくためには、多様な視点を持ち込み、常識にとらわれずお互いの話に真摯に耳を傾けることが大事になります。次に重要なことが、「遊び心」です。「こんなことしてみたらどうなる？」といった、突飛なアイデアがチームのダイナミクスに刺激を与えます。強制発想的に、短時間でアイデアを目に見えるかたちに**プロトタイピング**する、というセッションも効果的です。頭だけでなく、身体や五感を使って発想することで、ブレークスルーにつながることもあります。

フューチャーセンター・セッションを設計するうえで、もっともオーソドックスな「5ステップ」を次ページの図に示しました。

この「5ステップ」を具体的なフューチャーセンター・セッションの事例を通して、お

FCセッション・デザインの焦点

① SELECT THEME	② INVITE DIVERSE PEOPLE	③ PRODUCE HOSPITALITY	④ FACILITATE DIALOGUE	⑤ FOSTER EXECUTION
視野を広げてテーマを設定	**多様性を確保して人集め**	**非日常経験を演出**	**主体性を引き出す運営**	**参加者全員の深い気づき**
◉従来の常識から離れる	◉ステークホルダーに注目する（専門家、生活者）	◉日常を持ち込まない	◉テーマへの深い共感を得る	◉実行への期待を高める
◉過去、未来にスケールを広げて課題設定する	◉専門性の違う人を選ぶ	◉非日常の経験を演出する □目を見開かせる □思いがけないこと □くつろげる雰囲気 □面白み・遊び	◉参加者が相互に認め合う雰囲気をつくる	◉議事録で感情を含めた物語を伝える
◉社会的なテーマに広げて課題設定する	◉横断的に人を選ぶ（企業、部門、チーム横断）		◉一つの答えを出すことにこだわらない	◉過去の対話に立ち戻れる仕掛けを用意する

話したいと思います。これは、ある企業の新規事業立ち上げに向けたフューチャーセンター・セッションの事例です。

❶ 視野を広げてテーマを設定

この新規事業プロジェクトにとって、「テーマ設定」は特に重要なプロセスでした。新規事業検討チームの問題意識は、ワークスタイル、クリエイティビティ、コミュニティ、ヘルスケアと多岐にわたり、社会変化の兆候を見ようにも、あまりに広い範囲を見ていく必要がありました。専門家を交えて議論を重ね、「高齢者や障害者はもとより、子育て中、介護休暇中、さらにはフリーランサーも、社会から切り離されてしまっていると感じることが多いのではないか」という、強い問題意識を持つに至りました。

そして、「たんにITネットワークでつながるコネクティビティ」から、「コンタクティビティ（社会的なつながり）」へ、というテーマ設定を行いました。このテーマ設定により、「社会的なつながりを本当に必要としている人は誰なのだろうか？」というパワフルなクエスチョンが生まれました。

❷ 多様性を確保して人集め

第一回の招待ゲストとして、ワークライフバランス実践の先進企業の社長をはじめとし、〝まっくらやみのエンターテイメント〟「ダイアログ・イン・ザ・ダーク」の関係者、暮らしや世界を変えるグッド・アイデアを厳選したウェブメディア、greenz.jp の発行人など、多彩なメンバーを招待して、「新しいつながり＝コンタクティビティ」に関するあらゆる変化の兆しを集めました。

❸ 非日常経験を演出

「コンタクティビティ」という耳慣れないコンセプトについて、その最先端の兆しを集めようというセッションは、立て付けとしてはちょっと強引だったかもしれません。その理解の溝を埋めるために、全員で一つの輪になり、「コンタクティビティと言って思いつくもの」をあげながらボールをパスするアイスブレイク（実際はボールではなく、アイコンタクトでボールをパスする真似をするゲーム）からスタートしました。ゲストの方々もリラックスし、「何でも言っていいんだ」という雰囲気がここでできあがりました。

❹ 主体性を引き出す運営

この日は、ゲスト同士の創発をねらいたいと考えていましたので、パネルディスカッションになってしまわないように、注意を払いました。主催企業から大勢のオブザーバーが来ていたのですが、ゲストの皆さんにはホワイトボードのほうに向かって円弧になって座っていただき、ゲスト間での「対話のムード」を演出しました。

そしてもう一つの重要な演出として、ゲストの発した言葉をすべて、ファシリテーションチームが付箋に即座に書き、ホワイトボードに貼っていきました。ゲストの皆さんは対話に没頭することができ、その一方で、着々とアウトプットが生まれていく気分を味わい、ますます対話は盛り上がっていきました。休憩時間には、多くの招待ゲストがホワイトボードに近づき、自分たちの発言の流れを追いながら、「ここから何が生まれるのだろうか」という対話を楽しみました。

❺ 参加者全員の深い気づき

この次のステップは、フューチャーセンター・セッションの終了後に、いかに参加者が行動を起こせるか、というところになります。主催者である新規事業チームは、ここで次回に向けてのコミットメントを行いました。「今日お越しいただいた皆さまのところに、個別に訪問させていただき、次のステップを一緒に考えさせてください」とお願いしたのです。そして、彼らは実際に行動を起こしました。

私はファシリテーターのできることとして、このセッションからの気づきを「4つのシナリオ」に整理し、今後のアクションの方向性を提示しました。この整理をすぐに招待ゲストにフィードバックすることで、ゲストの皆さんをこの活動の中に巻き込んでいくきっかけをつくることができました。

このような「対話の整理」と「フォローアップの行動」が、フューチャーセンター・セッション後の活動として、なにより大切になります。

フューチャーセンター・セッションを開催するイメージが、少しわいてきたでしょうか。ぜひ一回、実際にご自分で開催してみてください。あるいは、他の人が主催するフューチャーセンター・セッションに参加してみてください。基本的にフューチャーセンター・セッションは、多様な参加者に対してオープンに参加の扉を開いています。もし誘われることがあれば、出かけていって積極的に貢献しましょう。

ファシリテーターは「事務局力」を磨け！

フューチャーセンター・セッションの成功の鍵を握るのは、ファシリテーターです。

ファシリテーターは、セッションの設計と運営の責任を持ちます。対話、未来思考、デザイン思考の方法論を使いこなし、多様な参加者の持つ経験や知識を問題解決に総動員させていきます。抽象的な言い方をするならば、「場を信頼し、集合的な知恵を引き出す力」を持っていなければなりません。

フューチャーセンターに興味を持っているという人に必ずといっていいほど聞かれるのが、「ファシリテーターを育てるのは難しいのではないか」「うちの会社にはいないのではないか」「ファシリテーターには特殊な才能が必要なのではないか」といった「難しさ」に関することです。

私は二〇〇九年に、『裏方ほどおいしい仕事はない！』という本を上梓しました。この本では、裏方から会社全体を動かしていくコミュニケーションのあり方を「事務局力」というコンセプトで提示しました。事務局は、まさに組織やプロジェクトのファシリテーターです。

面白いことに、この本への反応は大きく二分されました。典型的なフィードバックの一つは、「自分自身がやってきたことが、ここに体系的に書かれている」という喜びの声でした。組織を動かそうとする人は、知らず知らずのうちに同じような行動原理で動いているのだ、といえるかもしれません。もう一つのタイプが、「これはコミュニケーションのうまい人にしかできないやり方ではないか」という失望の声でした。最初は後者のように感じた人が、「試しに一つやってみたら周囲の見方が変わった」という嬉しいエピソードもいただきました。私自身は、多様なステークホルダーの異なるゴールを意識し、柔軟にコミュニケーションすることは決して難しいことではないと考えています。できるかできないかというよりも、やるかやらないかの問題なのです。

ファシリテーターの能力は、この事務局力とほとんど同じです。参加者の声なき声に耳を傾け、場の求める方向を定め、それに応じて方法論を駆使して、対話を促していきます。事務局力を持つ人は、次の「7つの仕掛け」ができると書いたのですが、フューチャーセンター・セッションのファシリテーターにもこれらは不可欠といえるでしょう。

事務局力を高める「7つの仕掛け」

仕掛け❶「ケア」するメール
仕掛け❷あこがれベンチマーキング
仕掛け❸アガペー（神の愛）モード
仕掛け❹鍋奉行ホワイトボード
仕掛け❺付箋ワークセッション
仕掛け❻内職プレゼンテーション
仕掛け❼あとづけバイオグラフィー

事務局力を高める「7つの仕掛け」

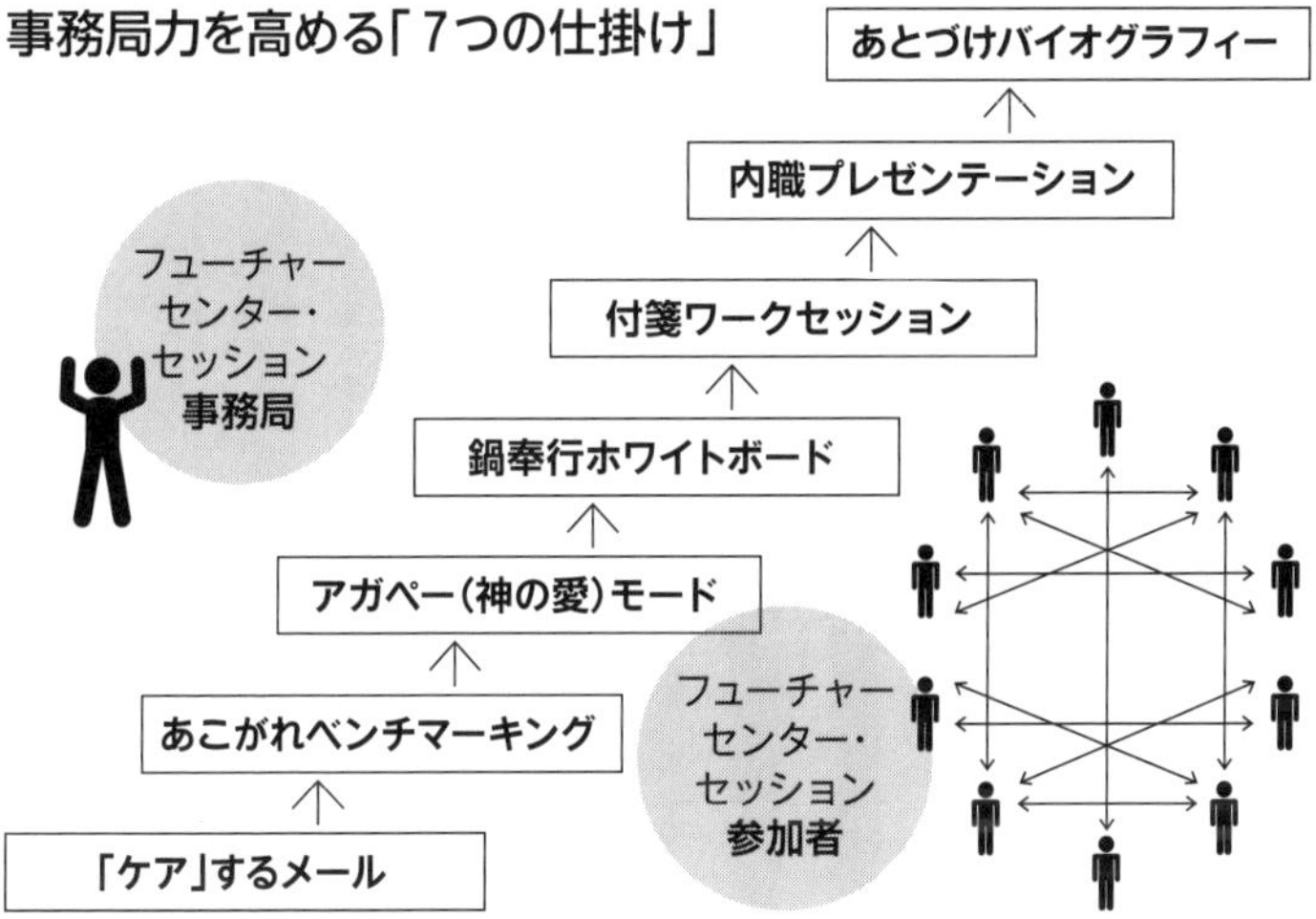

「ケアメール」は、セッションにゲストを招待するうえで、もっとも大事な仕掛けです。「なぜあなたに来てほしいか」を事前に伝えることで、一人ひとりをその場の主役にします。そこに誰を呼ぶか、というところが「あこがれベンチマーキング」になります。この人の情熱はすごい、この人の考え方に触れたいと思えるような、あこがれの人をお招きしましょう。セッションが始まれば、もうここからは「アガペーモード」で、どんな参加者に対しても深い愛と傾聴で対応しなければなりません。

「鍋奉行ホワイトボード」のような板書によるリーダシップと、参加者の主体性を引き出す「付箋ワークセッション」をバランスよく使います。そしてセッションの終盤に内容を整理して示す「内職プレゼンテーション」。バラバラになってしまったように感じられたアイデアが、四象限のシナリオにピタッとはまって示されたとき、参加者のアウトプット感は一気に高まります。そしてセッション終了後、その結果をどう整理してフィードバックするかで、参加者が次のアクションを起こしてくれるかどうかが決まります。そこは、まさに「あとづけバイオグラフィー」です。讃えましょう、参加者の貢献と、セッションで得られた洞察の大きさを。

一つひとつの仕掛けを使いこなすには、スキルが必要です。やったことのない人には、難しく感じられるかもしれません。でも、どれも特殊能力ではありません。経験すれば、誰でも上手になっていきます。

フューチャーセンター・セッションでは、ファシリテーターは対話に「リズム」を与えます。二人で親密に話してもらったり、四人でテーブルを囲んでもらったり、全員で輪になって話したりします。付箋やホワイトボードに書いたり、モノをつくったり、シナリオを演じたりといった活動もとり入れます。理解と解釈、発散と収束、共感と総合を繰り返すことで、感情を呼び起こし、脳にも刺激を与えていきます。こういった方法論を多数使いこなせるようになってほしいのですが、最初は三つくらいの方法論を覚えておけば、とりあえずセッションを開くことはできるでしょう。

私自身がフューチャーセンター・セッションのファシリテーションをする際に、もっとも気をつけていることは、英語で言うところのテンションをコントロールすることです。テンションはネガティブになると「緊張感」となり、ポジティブになると「張り」になります。ヴァイオリンの弦の張りを適切に保つように、セッションの開始から終了まで、このテンションをずっと気にしながらファシリテーションをしていきます。

ヨーロッパのフューチャーセンターの一つ、オランダのカントリーハウスでは、「遊び心を持つ」と「必死に働く」を両立するのがフューチャーセンターであるとしています。ここで扱う問題は、一直線に向かってもゴールに到達することができない複雑な問題です。

では、どうアプローチすればいいのでしょうか。まず、楽観的になって道を探し、遠回りをしてみます。もしその道が間違っているようであれば、粘り強く新しい道を探していきます。この楽観的かつ諦めないで探索し続けることが、フューチャーセンターの醍醐味です。これをファシリテーターは、舵取りしなければならないのです。

テンションの話に戻りましょう。私がファシリテーションをするときは、次の二点を意識しています。

Ⓐコミュニケーションの「緊張感」を下げる
Ⓑコミットメントに対する「張り」を高める

たとえば、セッションの最初にⒶを意識してアイスブレイクをするときもあれば、馴染みのメンバーが集まっているセッションであれば、いきなりⒷを仕掛けて、「今日はいつもと違う対話をするぞ」という張りを生み出します。緊張している人には、敷居を下げるガイドをしますし、逆にリラックスしている人に発言を求めるときは、「さあ、そろそろ結論を出していただきましょう」のように張りを高めるガイドをします。どちらもユーモアを持ってガイドすることを忘れてはなりません。

場のテンションを感じられるようになったら、もうあなたは一流のファシリテーターです。場の緊張感を下げる介入、張りを高める介入をそれぞれ意識してトライしてみてください。

関係性を生む対話

フューチャーセンターで行われるセッションでは、次の「4つのステージ」を明確に意識して進めます。

ステージ❶ 尊敬と信頼に基づく関係性構築
ステージ❷ 深い対話によるダイナミックな相互作用
ステージ❸ 多様な方法論による未来思考
ステージ❹ プロトタイピングによる協調的アクション

なぜ、最初のステージに「関係性構築」が来ているのでしょうか。アイスブレイクで場をほぐせば、会話が弾むからでしょうか。もちろん、それだけではありません。関係性の構築が、新たな未来を創り出していくうえでの必要条件だからなのです。

複雑な問題には、唯一の論理的な答えがありません。紛争解決と同じで、両者には言い分があり、どちらのロジックも「自分は正しく、相手は間違っている」となっています。社会システムがグローバルに絡み合い、ますます複雑になるなかで、私たちのアプローチも、「問題を分割して専門家が解決するパラダイム」から、「本質的な問いから始まる多様なステークホルダー間の対話による創発のパラダイム」へと変わっていかざるを得ないのです。このようなパラダイムシフトが、フューチャーセンターが求められる背景にあります。

関係性構築のもたらすインパクトは、体験してみれば誰にでもわかります。異なる意見が衝突ではなく、アイデアがどんどん広がるリソースとして使われるようになるからです。

たとえば、新製品がまったく売れない状況のなかで、組織横断の全体レビュー会があったとしましょう。営業と開発の間で、きっとこんなやりとりがなされるはずです。「商品開発の時点で、ユーザーが求める機能が削られたことが原因ではないか」「あのコストと納期の制約のなかではベストを尽くした。営業がしっかりと顧客に食い込めていないからではないか」といった責任のなすりつけ合いです。このやりとりの先に、何も生まれるはずはありません。

では、ステージ❶「尊敬と信頼に基づく関係性構築」を意識したファシリテーションを行うならば、どのように変わるでしょうか。見てみましょう。

ファシリテーターは、次のように対話を促すでしょう。

「参加者の皆さんはできるだけ所属組織がバラバラになるよう座ってください。そして二人ずつペアになって、お互いをインタビューしてみましょう。企画開始から開発段階、販売開始、そして営業段階のそれぞれ時系列に沿って、嬉しかったこと、辛かったこと、成長したことの三つを聞き出してください」

営業担当者が、開発担当者にインタビューします。開発担当者は、次のように述べるかもしれません。「企画段階から、今回のプロジェクトはすごくワクワクしました。新しいチャレンジだったので不安はありました。顧客のニーズも、もっと知りたいと思いました。正直、納期が厳しく、十分に顧客の期待に応えられているか不安です」
営業担当者はこう言いたくなるでしょう。「今からでも遅くはありません。一緒に顧客のところに行ってみませんか。開発担当者が来てくれれば、顧客も喜ぶと思います」

関係性を生む対話は、役割ではなく、人と人としてお互いの気持ちを理解するプロセスです。役割を背負った状態で議論を始めると、責任転嫁の構図に陥ってしまいがちです。役割をはずすために、最初はまったく関係のないテーマで話を始める方法もあるでしょう。お互いに尊敬の念を持つと、今まで耳を傾けてこなかった相手の「高質な暗黙知」に触れることができるようになります。

関係性を生む対話は、参加者が一〇人であっても、五〇人であっても、一〇〇人であっても、可能です。ただし、参加者同士が少人数で親密に話せるような、適切なテーマと方法論を選択する必要があります。

「関心は近いけれど知り合いではない」という人同士が集まったときは、参加者同士少人数で対話をしてもらうだけで、関係性を構築することができます。一方、同じ会社の人同士など、もともとある程度知っている関係では、ただ相互インタビューするだけでは偏見が取れません。少し「特別な場」を感じてもらうために、**フィッシュボウル**（金魚鉢という名前で呼ばれる、パネル討論に近い雰囲気の対話の方法論）などを使って、適度な緊張感のなかでの対話の場をセットするとよいでしょう。

ファシリテーターは必ず最初に、ステージ❶の参加者全員の関係性づくりを考えましょう。関係性ができ上がる前に、ステージ❹の協調的アクションが生まれることは、ありえません。そのためには、参加者の多様な創造性を信じ、「ファシリテーターの役割は、新しい芽が生まれてくる環境を整えること」というあり方をつねに意識していることが大切です。

よい関係性ができると、そこから創発が生まれます。多様で立場の異なる参加者の間に、新たな関係性を構築することが、未来を創り出すうえで何より大事なのです。

設計ガイドライン

フューチャーセンターを始めるということには、二つの意味があります。一つは、フューチャーセンター・セッションを企画し、人を集めて対話の場を持つこと。もう一つは、様々なテーマが持ち込まれるような、持続的な仕組みをつくることです。

もちろんこれら二つは、まったく別ものというわけではありません。しかし、セッションの質を「個人技」頼みにしないためにも、後者の、「フューチャーセンターの持続的な仕組み」の設計が重要になります。そのためには、様々なテーマについて、誰がファシリテーターになっても原則が守られるよう、空間やツール、プロセスなどを設計することが必要です。

「フューチャーセンターの持続的な仕組み」を設計するといっても、運営主体の「組織」

の設計と、「場所」の設計という二通りがあります。これら両方が一貫した設計がなされ、同時に立ち上がることが理想です。「組織」としては、センターの「経営者」に当たるフューチャーセンター・ディレクターが必要です。この人がテーマの選定、セッションの企画・運営、そして収支の責任を持ちます。ファシリテーターは専任でも外部委託でもかまいませんが、テーマに応じて、適切なファシリテーターをスピーディに見つけることができなければなりません。

ファシリテーターには、問題解決能力の高いコンサルタントタイプ、傾聴・対話などの関係性構築の方法論に強いコーチタイプ、対話の内容をその場でグラフィックにしてくれるアーティストタイプなど、目的に応じて選んでもいいでしょう。そのほかに、参加者のコーディネーションからセッション当日のホスピタリティまで、プロセス全体をケアする人、あるいは機能も必要になります。アウトプットをドキュメントや映像にするならば、ライターやエディター、ビデオクルーなども、必要に応じて見つけてくることが求められます。

このように、フューチャーセンター・セッションを運営するには、少なからずコストがかかります。ですからフューチャーセンター・ディレクターは、収益モデルとコスト意識を明確に持ち、しっかりとした経営を行う必要があるのです。フューチャーセンター・セッションの成否を分けるポイントは、「あの場所に行けば、この複雑に絡んだ問題が解決するのではないか、今までとは違う雰囲気で、よい対話ができるのではないか」という期待感にあります。そのためには、フューチャーセンターという「場所」の力やブランドを高めることが大切になります。

さてここまで、フューチャーセンターの設計には、セッションの設計と持続的な仕組みの設計があること、持続的な仕組みの設計にも組織の設計と場所の設計があることを述べてきました。これらの違いを理解していただいたうえで、「設計ガイドライン」を示したいと思います。このガイドラインは、各セッションのデザインにも有効ですし、フューチャーセンターの専用空間をつくる際の指針にもなるものです。

フューチャーセンター設計ガイドライン

❶信頼感のデザイン
❷多様性のデザイン
❸関係性のデザイン
❹全体性のデザイン
❺可視性のデザイン
❻安心感のデザイン

この六項目は、「フューチャーセンターの6原則」に一つひとつ対応しています。ただ原則と違って、設計ガイドラインは「必ず守らなければならないもの」ではありません。なぜならば、それぞれのフューチャーセンターは、その目的に合わせて、個性的にカスタマイズしていくことが求められるからです。設計ガイドラインは、原則を実現するためのノウハウやアイデアの方向性です。では、一つずつ見ていきましょう。

❶ 信頼感のデザイン

[原則] 想いを持った人にとっての大切な問いから、すべてが始まる

フューチャーセンターの空間そのものに、哲学や思想が表れていると、「昨日今日の思いつきで人を集めたわけではないのだな」と理解してもらうことができます。「世界を変える」という意志を持ったフューチャーセンターならば、壁に貼った大きな世界地図に「未解決の問題」をピンで留めて視覚化するとよいでしょう。「誰にとっても暮らしやすい社会」をめざすフューチャーセンターには、たとえば子どもやお年寄り、車椅子などの実物大のグラフィックが壁に描かれていれば、メッセージがダイレクトに伝わるでしょう。

セッションの中で、信頼感をデザインするには、「想いを持った人」の存在が不可欠になります。フューチャーセンター・セッションのテーマを提起する人が、この問題を語るにふさわしい人だと参加者の誰もが思えれば、セッションに対する信頼感は高まります。

たとえば、世の中の問題解決を生業にする社会起業家や、リスクをとってプロジェクトを立ち上げたリーダーは、テーマ提起者として選択するにはふさわしい人です。また、地域の問題を熱意のある「よそ者」が解決しようと立ち上がった場合も、その人の人生に「心をふるわせる理由（経験）」があったということを物語ることで、信頼感が高まるでしょう。

もう一つの要素は、ファシリテーターの示す情熱です。ファシリテーター自身が、「この場に集まった人たちには、この問題を解決する力がある」と信じ、そして「必ず創発を起こす」という強い意図を持っていることが、場に大きな影響を与えます。ファシリテーターの示す「場への信頼」が、参加者にとてつもなく大きな信頼感を与えるのです。

❷ 多様性のデザイン

[原則] 新たな可能性を描くために、多様な人たちの知恵が一つの場に集まる

多様性と一言でいっても、国籍、性別、年齢、思想、階層、業界、職業、専門性など、様々

な切り口があります。フューチャーセンターには、「多様であることをパワーに変えていく力」が必要になります。そのためには、空間もファシリテーションも、「インクルーシブ（除外されてきた人々を包含する）」にデザインされている必要があります。空間的には、できる限りユニバーサルデザインが施されるべきでしょう。参加者は、多様な職種から選ぶ、男女のバランスを考えるのはもちろんのこと、積極的に幼児や老人、ハンディキャップを持った人を招き入れ、「違いから学ぶ」ことを体感することも大事になります。

ファシリテーションでは、役員とか管理職といった階層を感じさせないこと、さらには階層間での学び合いを積極的に促すことが必要です。サークルになって座るなど、上座の存在しない形式をとることが、何より大事です。そして、ニックネームで呼び合う、身体を使ったゲームを行う、ワールドカフェのように席を次々と替わって少人数で話す仕掛けをとりいれるなど、楽しい雰囲気で階層を感じないコミュニケーションができるようにしていきます。

❸ 関係性のデザイン

［原則］集まった人たちの関係性を大切にすることで、効果的に自発性を引き出す

関係性を大切にしていることを表現するためには、「お迎えの仕方」が大切になります。私がかつて訪問したオランダのカントリーハウスとシップヤードという二つのフューチャーセンターでは、フューチャーセンター・ディレクター自らが出迎え、玄関脇のウェルカムルームでお茶とお菓子が振る舞われました。その小さな部屋に通され、ディレクターとゆっくり話をしているうちに、友人の家に遊びに来たような、あるいはペンションに泊まりに来たようなリラックスした気持ちになったのを覚えています。「ここでは問題解決より先に、人間関係を大切にしているのだ」ということが、深く心に刻まれました。

フューチャーセンター内のデザインやアート、飾られた花なども一役買ってくれます。フューチャーセンターのスタッフの顔写真をすべて壁に貼っておきましょう。過去の来場

者や、フューチャーセンター・セッションの写真も壁に貼っておけば、ソーシャルネットワークが可視化されたような効果があります。

❹全体性のデザイン

［原則］そこでの共通経験やアクティブな学習により、新たなよりよい実践が創発される

フューチャーセンターは、そこに来た人たちが、お互いの間に壁を感じることなく、全体で一つの場をつくれるようデザインされるべきです。想像してみてください。最初に到着した人は、どこで時間を過ごすのでしょうか。逆に、すでにグループができてしまっているところに、誰も知り合いのいない人が到着したときに、どのように仲間に入ってもらえばよいでしょうか。知らない人同士でも、気軽にアクセスできるカウンターがあり、そこに香り豊かなコーヒーでもあれば自然に会話が始まることでしょう。

セッションが始まってからも、講演会スタイルが続いてしまうと、他の参加者と誰とも

話をしないで帰る人が多くなってしまいます。意外にも二人や四人といった少人数での対話の機会をつくることによって、逆に全体性が感じられるものです。みんなで一つのトピックについて話したり、一つの絵や表を完成させることも、全体性を感じる体験でしょう。もしかすると、その日に偶然出会った人もたくさんいるかもしれませんが、全員で一つの協同作業を行うことで、「今日ここに集まった人たちが、社会を変える同志になるかもしれない」と感じることができたならば、それは素晴らしい場であったという証明になります。

❺ 可視性のデザイン

［原則］あらゆるものをプロトタイピングする

フューチャーセンターでは、一つの正しい答えを論理的に導くのではなく、たくさんの仮説を形にしていきます。一つのアイデアが他人へのインプットとなり、みんなで新しいアイデアを次々とつくっていくのです。このような雰囲気を生み出すためには、いわゆる会議のようなコの字形の机の並べ方などせず、できるだけカジュアルなセッティングにする必要があります。たとえば、テーブルを四人くらいで囲み、テーブルクロス代わりの模造紙に、カラフルな付箋とサインペンをたくさん並べておきます。アイデアがどんどん目の前で増えていくことが可視化されることで、ワクワク感が高まります。

プロセスの可視化も重要です。石、おもちゃ、工芸品などのトーキング・オブジェクト（発言者が誰かを明示するアイテム）は、今は誰が話す時間なのかを皆が意識し、発言者以外の人が聞き手に徹することを助けます。

理想的には壁を全部ホワイトボードにしてしまいたいところですが、そうでなかったとしても、できる限り多くのホワイトボードやイーゼルパッドを会場に持ち込みましょう。ファシリテーターは、参加者が話したことをできる限りすべて書き付けます。付箋でもかまいません。参加者全員が付箋を持って、すべて書き付けるようなセッションにしてもいいでしょう。いずれにしても、現れたアイデア一つひとつをしっかりとつかみ取ることが大切です。そのままずっと流れていってしまわないように。

一回のセッションが終わったあとも、できればその文脈を空間の中に残しておきたいものです。大きなスチレンボードを使って、たくさん貼り付けた付箋をそのまま残しておくこともできますし、少なくとも写真にとって、その場の情熱を再現できるようにしておきましょう。このプロセスそのものが、重要なアウトプットです。

❻ 安心感のデザイン

[原則] 質の高い対話が、これからの方向性やステップ、効果的なアクションを明らかにする

最後のデザイン要素は、安心感です。自己との対話をしっかりと行うためには、安心な場が必要です。自らの思い込みを取り去り、正直に「なぜなんだろう」と自らに問いかけ、本質的な想いを確認していくプロセスは、他人に見られたくないものかもしれないからです。自分の弱い面や嫌な面が見られてしまうかもしれないと警戒してしまうと、自我がむ

くむくと出てきて、「べき論」を語り始めます。だからこそ、ここは他人が自分を攻めたり、揚げ足をとったりしない場なのだという安心感をしっかりと確認することに、大きな価値があるのです。

リラックスした雰囲気、そしてコーヒーとクッキーなどは、この安心な場を演出してくれます。人数に対して部屋が広すぎたり、逆に他のグループの声が大きく聞こえてきたりしていると、落ち着きがなくなります。メンバーの声がしっかりと響き、伝わりやすいことは、安心した場をつくるうえで重要な要素でしょう。

そしてもちろん、ファシリテーターの醸し出す雰囲気が、何より大事です。ユーモア豊かに、コミュニケーションの緊張感をできるだけ下げていきます。とはいっても、気をつけなければいけないのは、グダグダの場にならないようにすることです。リラックスした状態と、ダラダラした状態は違います。コミュニケーションの緊張感を下げつつも緊張感は保たなければなりません。そのためには、対話のプロセスの全体像を示し、きっちりとタイムキープしていくことも大切です。そのうえで、全参加者に対して、ある程度の場の主導権を渡します。

リラックスして楽しみながらも、全員が「よいアウトプットを出したい」という気持ちをどこかに持っていると、新たなひらめきが見つかる可能性が高まります。

第4章

開かれた
専用空間をつくる

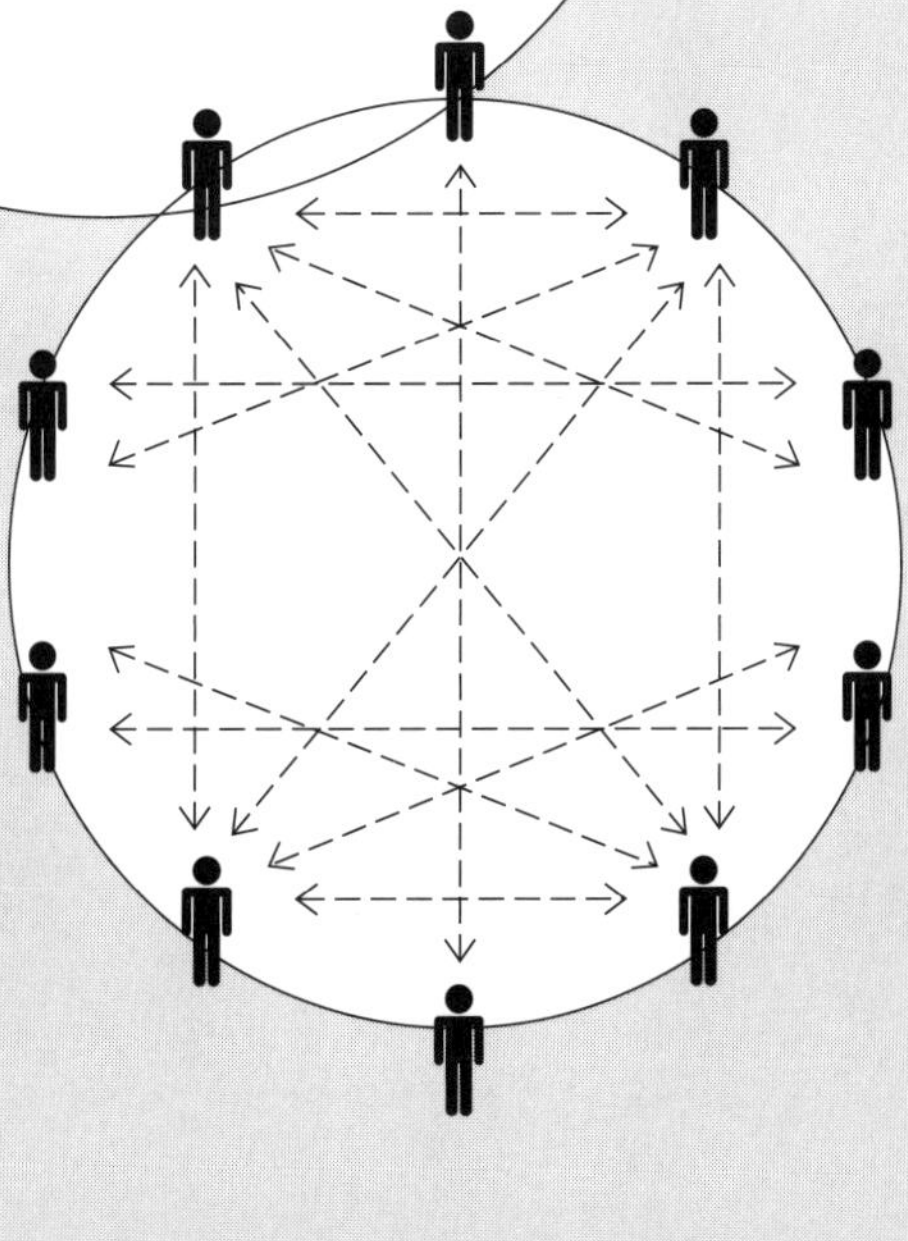

高質な「対話の場」をササッとつくる

「フューチャーセンターには、専用空間は必要条件なのですか?」と、よく聞かれます。私はいつも、「あったほうがいいが、なければできないわけではありません」と、まるで「お化けには足があるのか?」と聞かれたときのような、中途半端な答えをしてしまいます。

誤解を恐れずに言えば、次のようなメタファーがわかりやすいと思っています。

フューチャーセンターは、「未来のステークホルダーが集まって対話をすることで世界は変わっていく」という「思想」です。専用空間は、「教会」みたいなものです。教会がなくても祈ることはできますが、思想を布教・普及させるためには、教会をつくることが大切です。でも教会の建物があるだけでは不十分で、神父さんがいなければ教会は成り立ちません。

フューチャーセンターの「空間」の意味合いは、宗教であれば「教会」、学校であれば「校舎」

です。「ディレクターとファシリテーター」は、「神父」であり、「校長や教師」です。他方、フューチャーセンター・セッションはプログラムですから、教会であれば日曜日の「礼拝」、学校ならば「授業や運動会」にあたるものです。

いずれにしても、専用の空間は宗教や学校の普及にとって、きわめて重要なものになります。しかしながら、校舎を持たずに地域密着型の教育のかたちを追求しているシブヤ大学のように「街そのものがキャンパス」といった想像力を働かせると、「街全体をフューチャーセンターにする」と考えることもできます。

ここでは、専用空間を持つかどうかということではなく、どんな場所であっても、うまく「場づくり」を行えば、「よい場」をつくることができるということをお話ししたいと思います。お茶会は「茶室」で行われるものですが、「野点」もなかなか面白いものです。

美しい場所、意味のある場所

まず、「よい場」とは何か、というところから入りましょう。

その場に来た人が真っ先に、「ここは違う」と感じられることです。まずは美しいことが最大の基準です。迷ったら、どちらが美しいかで決めましょう。場所を選ぶときは、セッションが行われる部屋だけでなく、周辺にどんな自然があるのか、といった「全体的な場所」を意識しましょう。できるだけ「自然」を感じられる場所であるほうがいいのですが、都会にも自然が美しく存在するところはあります。また、花や石などを部屋に持ち込んで、部屋の中に自然をつくり出すのも、一つの方法です。こういった知恵は、茶道や華道に多く見られるものだと思います。

次に大切なことは、その場に、「意味性」が感じられることです。話し合うテーマに応じて、その土地や建物を選ぶのもよいでしょう。たとえば歴史的な場所や、あるいは「教育の未来」を考えるために廃校後にリノベーションされた会場を使う、といったことが考えられます。歴史を感じられたり、ビジョンを指し示しているような場所をできるだけ選んでみましょう。

では、場所の選定に自由度がなく、会議室のような部屋を使わざるを得ない場面を考えてみましょう。残念ながら、このような状況がもっとも多いと思います。

まず、思いっきり、会議室の雰囲気をぶちこわしてください。そして、対話に合った空間をつくっていきます。

大きな四角いテーブルは、たたんで廊下に出してしまいましょう。ワールドカフェを行う場合など、テーブルが必要なときは、参加人数を「4」で割った数だけ、テーブルを部屋の片隅に残しておきます。椅子だけにして、上下関係を感じさせないレイアウトで並べます。可能であれば、一つの円になるように椅子を並べます。部屋が狭くてできなければ、二重にしてもかまいません。それも難しければ、中心だけを決めて、あとはわざと乱雑に椅子を並べましょう。

次に、アイデアが生まれたら、それをどんどん可視化できる空間をつくりましょう。ホワイトボードやフリップチャートをできるだけ多く、持ち込みましょう。壁があったら、そこには模造紙をできるだけたくさん貼りましょう。可能な限りすべての壁を可視化のために使います。付箋紙は必需品です。なるべく大き目のサイズを用意してください。セッションが始まったら、窓にも付箋をばんばん貼っていきましょう。

可能であれば、お茶とお菓子、お花を用意しましょう。入り口には、「ウェルカム！」「ようこそ！」などの歓迎の言葉を大きく書いておきましょう。仕上げは、照明と音楽です。蛍光灯の青白い光をぜんぶ消して、スポットライトを持ち込みましょう。そして明るい音楽で迎えて、ある程度参加者が集まり始めたら、落ち着いた音楽に切り替え、話し始めるときにフェードアウトさせていきます。

以上は一つの例ですが、よい場をつくるのは、参加者全員の協同作業です。参加者のために「主体的参加の余白」をうまくつくることができれば、誰もが盛り上げる側に立つことができます。アジェンダをホワイトボードや壁の模造紙に大きく書いておくことで、参加者が全体像を理解できます。ファシリテーターが、その日の目的や意図を伝え、そしてどんなアイデアもウェルカムであることを伝えます。

誰もがいつでもリーダシップを発揮できる状態ができたら、あとはすべてを場にゆだね、楽しむことです。よい場は自然に、立ち上がってくるのです。

オフィスをフューチャーセンターにする

外部に開かれていることの意味

フューチャーセンターは、つねに外部に開かれていなければなりません。フューチャーセンターは、プロジェクトルームのように、特定のグループのためだけにあるものではありません。たとえば、「子育てのフューチャーセンターを立ち上げよう」と思ったら、最初は仲間内で始めてもいいかもしれませんが、子育てに関心を持つ人たちが課題を持ち寄れるようにするなど、問題解決に関わる機会を他の人たちにも提供することがミッションになります。

仲間内でよい対話をして満足するだけではなく、「この場にもっといろんな人に来てもらおう」「他の人はどんな課題を感じているのだろうか」「他のフューチャーセンターでも似たことを検討しているのでは」と関係性を広げていく方向に思考をめぐらせていきましょう。

多くの社会的な問題は根っこでつながっていて、断片的には解決できないものばかりです。だからこそ、ステークホルダーを広げて対話を繰り返していくプロセスが重要です。狭い視野で短期的アウトプットを出すのではなく、広い視野を持ちつつプロトタイピングしていくことが大切になります。

フューチャーセンターが決まった場所を持っていることとは、新しくその場に加わる人を増やすうえで有用です。「あそこにフューチャーセンターがオープンしたから、今度行ってみよう」「今日はイベントでしたが、いつでも何かあったら来てください」と、寄り合い所的な役割を果たすことができるようになります。ですが、必ずしも場所を占有する必要はありません。たとえばですが、いつも社員食堂でセッションを開くと決めて、そこに掲示板を用意し、これからのセッションスケジュールや課題募集の案内などを貼っておけば、そこに「認知的な場」が存在するといえるでしょう。皆が「夕方の社員食堂はフューチャーセンターだ」と認識することが大切なのです。

数多くのフューチャーセンター・セッションが、時間を超えて同じ空間で扱われていることは、私たちの意識にとても大きな影響を与えると思います。他のセッションの結果がホワイトボードに残っていれば、自然と興味を持つでしょう。同じファシリテーターがそれぞれの問題を扱っていれば、場の記憶と相まって、別々の活動に向かっていた情熱をお互いにつなぎあわせることも可能になります。

フューチャーセンターは、ただ対話するだけの場ではなく、「新しいコトを生み出す場」なのです。新しいコトを生み出すために、フューチャーセンターは「新しい関係者を招く」こと、「過去ではなく未来を語る」ことに焦点を当てます。

唯一の答えがない問題に対して、多様な意見を持ち寄って考え、アクションにつなげ、結果的に参加者を巻き込んでパラダイムを変えていく。それが、フューチャーセンターの思想です。多様性のある対話を大切にしながら、同時に未来思考でスピーディなプロジェクト運営を進めていくこと。それは、フューチャーセンターにおける未来創造の本質的な価値です。フューチャーセンター的価値観を実践する場が増えることによって、私たちは自分たちの手で社会を変えていくことができると信じられるようになります。フューチャーセンターに期待されていることは、「よい対話の場を次々と生み出す装置」となることです。

最高のおもてなしで迎える

フューチャーセンターの成功は、参加者の期待感にかかっています。

「これだけ多様で面白い人たちが集まっているから、今日は何かが起きるぞ、面白いアウトプットが出るかもしれない」と皆が思って集まれば、そこではマジックが起きるはずです。

では、そのために「おもてなし（ホスピタリティ）」ができることは、何なのでしょうか。どんなおもてなしをすれば、そのような期待感を高めることができるのでしょうか。

石川県和倉温泉にある老舗旅館、加賀屋さんでは、おもてなしを「宿泊客が求めていることを、求められる前に提供すること」と定義しているそうです。そして、「できるだけ長い時間を宿泊客との対話に費やす」という原則を持ち、それを実現するための仕組みとして、食事を運ぶためのコンベアがあります。仲居さんが食事を取りにいく時間を最小化し、対話時間を確保するためのシステムです。

フューチャーセンターのおもてなしには、ワクワク感を高めること、あたたかく迎えられたというホカホカ感を味わえるようにすること、主体的に参加できたという「参加した感」を満たすこと、などがあります。加賀屋さんにならって定義してみるとすれば、「参加者一人ひとりが潜在的に求めているワクワク感、ホカホカ感、参加した感を、求められる以上に提供すること」と表現できるのではないでしょうか。

フューチャーセンター・ディレクターは、参加者一人ひとりと言葉を交わし、この日のセッションへの期待やその人の持つ経験知などを丁寧に聴いていきます。参加者同士を紹介してつなげることも忘れてはなりません。香り高いコーヒーは、このような社交の場をゆったりと演出してくれるでしょう。

フューチャーセンター・セッションに出向いていったときに、そこに今まで経験したことのない雰囲気があり、上質な対話とともに、おいしいお茶やお菓子を楽しむことができたならば、もう一度そこを訪れたくなるに違いありません。

あの人もこの人も主役にする

でも、それだけでは十分ではありません。ホテルやディズニーランドのような高質なサービスでワクワク感とホカホカ感は高められても、参加した感を高めることまではできません。ここからは、参加者自身に関わってもらう必要があります。そこも含めて、フューチャーセンターはおもてなしと考えます。つまり、一緒におもてなしの場をつくっていくという経験を演出するのです。

では、どうすれば気持ちよくおもてなしの場づくりに参加してもらえるのでしょうか。さすがに、椅子運びをやらされたからといって「参加したな」とは思えないでしょう。

最高のおもてなしは、「その人を主役にすること」だと思います。その際、必ずしも「主役は一人ではない」ということを心に留めておいてください。たとえば、次のような複数のタイプの人を同時に主役にすることができるのです。

まずは「長老」です。もっとも年長の参加者には、「最後のコメントをお願いします」とあらかじめお願いし、主役になってもらいましょう。もう一人の主役は、「キング」です。社会的にもっとも地位の高い参加者には、他の参加者を次々と紹介して、ネットワークのハブ（結節点）になってもらうことができます。キングと知り合いになることは、他の参加者にとっても嬉しいことなので、キングにソーシャライゼーション（社交）の主役になってもらうのです。

今度は逆に「若者」も主役にしてしまいましょう。もっとも年の若い参加者は、「最年少」として参加者の前で紹介し、「今日はみなさん、彼（彼女）にたくさんの知識を授けてあげてください」と言い添えましょう。人気者になること請け合いです。もっとも遠くから来た人、社会セクターから参加してくれた人、子育て中の人、プロボノ（公益のために行う無償のプロフェッショナルな活動）で頑張っている人、最近海外に行ってきた人、なんでも構いません。参加者全員に、それぞれ「唯一の特徴を持った人」として、主役になってもらいましょう。自分自身のもっとも古くからの知り合いなら、そのように紹介しましょう。

ファシリテーターが、一人ひとりを「唯一の人」として接することで、場のつながり感が大きく変わるのです。「ここは、○○さんにぜひ一言いただきたいですね」と、主役登場の場面をいくつもつくっていけるでしょう。誰にどこで登場してもらうか、最適な「出番」を感じとるためには、つねに参加者一人ひとりの「エネルギーの動き」を感じとっておく必要があります。退屈そうにしていないか何か話したそうな雰囲気か、近くの人との対話は盛り上がっているかといったことを感じとっているかどうかで、場のエネルギーをぐっと高められる演出ができるかどうかが決まります。

究極のおもてなし（ホスピタリティ）は、参加者全員を「唯一の特徴を持った人」として「主役」になってもらう、そして適切な「出番」を持ってもらうことです。

おもてなしによる場づくり

コミュニティを育む

「フューチャーセンターを立ち上げる」ことの本質は、新たな人のつながり、新たなコミュニティを育むことにあります。

企業内でフューチャーセンターを立ち上げるのであれば、組織横断の様々なテーマのコミュニティを育んでいくことになります。新製品開発が始まるとき、バリューチェーン横断のコミュニティを育成するかもしれません。グループ企業横断で、総務部門をつなぐコミュニティを育成することになるかもしれません。

同様に、地域のフューチャーセンターであれば、地域コミュニティを育むことに時間を費やすことになるでしょう。子育てのようなテーマでフューチャーセンターを立ち上げるならば、当然、その領域に関心の高い人たちのコミュニティを育成することになります。

次の「10原則」は、二〇一一年五月に開催した、四日間連続のフューチャーセンター・セッションで得られたキー・ファインディングです。題して、「コミュニティ中心経済の10原則」。これからのビジネスのルールは、コミュニティを中心とした新たなパラダイムに突入する、というものでした。

コミュニティ中心経済の10原則

❶これからの社会は、「コミュニティの生成力」が成功指標になる
❷これからの社会変化は、「相互につながったコミュニティ」によって伝播する
❸これからの企業は、「市場から」ではなく「コミュニティから」発想して価値をつくる
❹これからのイノベーションは、「新たなコミュニティの単位」の発見、可視化、活性化を実現することになる
❺これからのワーカーは、「組織から」ではなく「個のつながり（コミュニティ）」で仕事をつくる

❻これからの仕事環境は、「組織に囲われた場所」ではなく、「コミュニティに開かれた場所」になる

❼これからの人材育成は、「多様な人と人のつながり」により、「いつもの領域超え（冒険）」の機会をつくる

❽これからの組織は、役割ではなく「人」として存在できる「安心な場（コミュニティ）」になる

❾これからの地域コミュニティは、世代や地域を超えてつながるための「主体性を引き出す劇場」を持つ

❿これからの経済は、「コミュニティを中心に動く」ようになる

つまり、コミュニティを育むことが、企業のマーケティング活動そのものになってくるということです。マーケティングの父であるフィリップ・コトラーは、このようなパラダイムシフトを「利用者がパートナーになる時代」という意味で、「マーケティング3・0」と名付けました。

このようなパラダイムシフトは、確実に起こりつつあります。ソーシャルメディアの台頭は、その前兆です。世の中に新しいアイデアを伝える力は、大企業のプレスリリースよりも、影響力のある個人のブログのほうがすでに優ってきています。

行政や企業という組織体が世の中を動かしてきたのは、組織として蓄積してきた情報や知識の質も量も、個人やコミュニティを圧倒していたからです。また、組織内の情報共有のほうが、組織を超えた情報共有よりも、明らかにコミュニケーション・コストが低かったからです。これを大きく変えたのが、情報通信革命であることは、疑う余地がありません。この革命は、ＩＴの世界だけで起きているのではなく、あらゆるビジネスのやり方を変え始めているのです。

すでに情報産業、コンサルティング業界などの知的業務では、「会社の中でできること」と「家やカフェでできること」の差が、ほとんどなくなってきました。このことが、社会起業家の影響力の増大や、**コワーキングスペース**（独立して働く個人が利用できるオフィス機能、コミュニティ機能を備えたオープンスペース）の急速な増加につながっています。

フューチャーセンターは、市民に社会変革のイニシアティブを移し、その結果、企業の商品・サービス開発のプロセスを一変させてしまうことになるでしょう。

第5章

フューチャーセンターによる変革

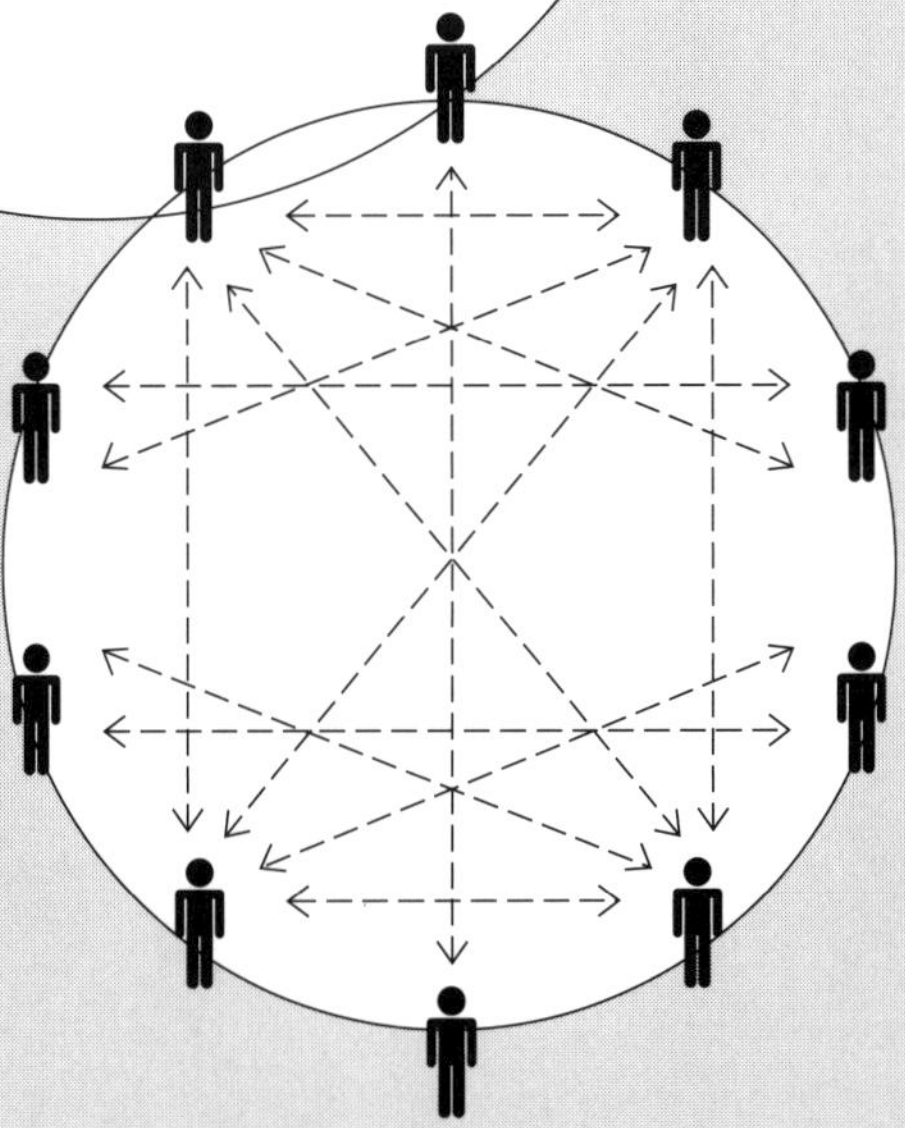

アクションを引き出す

フューチャーセンターは、よい対話を通じて、協調的なアクションを起こす場です。

ダイアログの達人であるボブ・スティルガー氏は、フューチャーセンターがたんなるダイアログと違う点は「参加した人たちが協調的なアクションを起こすこと」と言います。さらに彼は、「フューチャーセンターという概念を知って、三〇年にわたって途上国で私が取り組んできたことが、まさにフューチャーセンターそのものであるということに気づいた」とも言っています。多様な人たちが対話し、そこから皆で協調的なアクションを起こしていくことが、世界のどこに行ってもいちばん大切なことだといえるでしょう。

では、どうすればフューチャーセンターで対話されたことが、実行に移されるのでしょうか。経験的に私自身が感じている「アクションにつながる要因」は、の三点です。

❶ 課題提起者が本気であること
❷ 実行力を持った参加者がいること
❸ ファシリテーターが強い意志を持って関わること

これらを実践するのが、ファシリテーターとしての役割です。

多くのセッションは、課題提起者から相談を受けるところから始まります。ファシリテーターは、その人の本気度を確かめ、もし表層的なテーマを持っていた場合は、何が本質的な課題かを引き出していきます。そして、課題提起者が本当にやりたいこと、その情熱のありかを確認します。生半可な気持ちの課題ではセッションを開催できない、と突っぱねたりもします。それは、フューチャーセンター・セッションにお招きする多様な「未来のステークホルダー」に対する礼儀であり、また、責任だからです。

課題提起者の情熱あるテーマが設定されたら、次に「実行力のある参加者」の選定に入ります。外部ゲストには、そのテーマについて、新たな洞察や刺激を与えてくれる人を選びます。内部（たとえば社内）ゲストについては、セッション後に一緒に活動を進めていってもらいたい人を選ぶことになります。最初は前向きで意識の高い人をできるだけ選び、第二回のセッション以降には、変わってほしい人を巻き込んでいきます。同じ意識を持ったコミュニティをだんだんと広げていく、そんなイメージを持って進めていきます。

そして最後に、「ファシリテーターが強い意志を持って関わること」ですが、これはフューチャーセンターのセッション中に発揮する力です。ファシリテーターは、参加者全員に課題を達成する力があると信じてその場に立つのですが、時には強い意志を示す必要があります。それは、一人ひとりの意識は変わり始めているのに、お互いが様子見をしていて、誰も一人で立ち上がることができない状態になったときです。

場が変化のきっかけを求めているとき、ファシリテーターは強烈な意志表示をしましょう。「ぜったいやり抜きましょう。今がいちばん大変なときだけど、ここを乗り越えれば絶対成功しますよ。私たちにはできる。一緒にやりましょう」と呼びかけるのです。もし、一人ひとりの変化に対する準備が整っていなかったら、白けたムードをつくってしまうかもしれません。そうなるとファシリテーターとしては本当につらいところですが、数人でも準備のできた人がいれば、「ファシリテーターのフライング」にもついてきてくれるでしょう。彼らが立ち上がったら、ファシリテーターのペースメーカーとしての役割は終了です。自発的なイニシアティブに任せましょう。「熱くなりすぎちゃいましたね、ははは」などと言いつつ、一歩下がります。

そこで鍵となるのが第三章の冒頭でお話しした三つの方法論、すなわち**対話**、**未来思考**、**デザイン思考**です。

イノベーションを実現する方法論として、これまでもっとも注目されてきたのが、**デザイン思考**だと思います。私も、長らく米国のＩＤＥＯ社と一緒に仕事をしてきて、デザイン思考の持つ絶大なパワーを身体で感じています。しかし、日本企業ではデザイン思考が大きな成果をあげてはきませんでした。それは、なぜなのでしょうか。

実行できるかどうかとイノベーションが起きるかどうかは別なのですが、日本企業は、その一歩手前、「ワイルドなアイデアは実行されない」というところにボトルネックを持っています。つまり、せっかくデザイン思考で新しい視点のアイデアが生まれても、市場が見えないなどの理由で、結局は商品開発のゴーサインが出ないケースが多いのです。

これは日本特有の問題かもしれませんが、少なくとも日本企業には「不確かなアイデアに投資しない」という、大きな特徴（あるいは問題）があります。つまりデザイン思考は、日本企業のイノベーションの必要条件であっても、十分条件にはなりえないのです。ですが私はこのことで、「日本企業はイノベーションが苦手だ」とは言いたくはありませんでした。その後、私は**未来思考の方法論**と出会うことになります。

未来思考の方法論の代表格である未来シナリオは、日本企業に合ったやり方です。なぜなら、シナリオプランニングは複数のシナリオを提示して、それらに備えるかたちでアクションを決める方法論なので、意思決定者にとっては説明責任が果たせて安全だからです。「それも一つの可能性」というかたちで、ワイルドなアイデアを採用することができます。

思いも寄らないアイデアに投資して、あとで誰が決めたのか、と責められるリスクもありません。

つまり、日本企業のイノベーション・プロセスは、次のように考えればよいのです。まずデザイン思考のプロセスで洞察を得て、そこからたくさんのアイデアを出していきます。続いてそのアイデアをベースに、未来思考で複数のシナリオを作成して、全員のコンセンサスを得る。そしてさらに、**対話の方法論**によって意思決定者、協力者、顧客などを巻き込み、一緒にコンセプトをつくり上げていきます。合議制の日本型組織でも、これら三つの方法論を組み合わせれば、イノベーション・プロセスを回していくことができるでしょう。

フューチャーセンターがあれば、**デザイン思考の方法論**、**未来思考の方法論**、**対話の方法論**の三つをうまく組み合わせながら、イノベーションに向けてのアクションを起こしていけるようになるのです。

ネットワーク化するフューチャーセンター

第一章で述べたように、日本でのフューチャーセンターの発展は、欧州とは異なるかたちで展開してきました。欧州のフューチャーセンターが、パブリックセクター中心であるのに対し、日本ではビジネスセクターから広がり始めています。そしてもう一つの違いが、日本では発展の初期段階から、個別のフューチャーセンターとしてというよりも、「フューチャーセンター間のネットワーク」として同時多発的に連携しながら立ち上がってきたことです。

二〇〇九年に、私たちが日本企業を集めてフューチャーセンター・コミュニティを立ち上げた際、欧州からレイフ・エドビンソン教授と、欧州のフューチャーセンター・アライアンス共同創業者のハンク・キューン氏を招き、公開セッションを開きました。そのときに彼らが驚いていたのは、「欧州のビジネスセクターは、こんなに公共の問題解決に関心を持たない。日本企業の志の高さはすごい」ということでした。このエピソードは、欧州ではパブリックセクター中心であるフューチャーセンターが、日本では企業から立ち上がってきたことの特徴を顕著に表していると思います。

同じ頃に、南アフリカやブラジルの貧困地域でリーダーシップ開発を数十年にわたり続けてきたアメリカ人、ボブ・スティルガー氏と出会いました。私と彼が初めて会ったのは、フューチャーセンター・コミュニティの交流会に彼がゲスト参加してくれたときのことです。その日、彼が私にこんなことを言いました。

「まったく違う国、まったく違うセクターで、君と私はずっと同じ仕事をしてきたようだ。それは、社会や企業を変革していくのは自分たちである、自分たちの持つリソースや知識はそれを行うに十分である、ということをコミュニティ内の人たちに気づかせる場をつくっているということだね」

正直、私はこのときまで自分の仕事をそのように考えたことはありませんでした。しかし、考えてみればそのとおりでした。ここから私の人生は大きく「企業変革」から「社会変革」へと舵を切り始めたのです。

そして二〇一〇年、私はエドビンソン、キューン、スティルガーの三氏とともに、日本独自のフューチャーセンターのあり方を模索する活動を開始しました。

日・欧・米のコラボレーションはとてもエキサイティングで、次々と新しい考え方が生まれてきています。人と人との関係性を構築する対話の方法論は、セクター横断で社会システムを構想する際に、大きな力を発揮しました。未来シナリオには、対話を前に向かわせる効果がありました。このコラボレーションを強力に推進するエンジンは、日本の「先進的な企業群」でした。欧米では進まないようなアイデアが、日本の「企業横断の場」で次々と生まれ、そして実行されてきました。いつの間にか、日本はフューチャーセンターの先進的実験国になっていたのです。

このことを象徴的に感じさせてくれるエピソードがあります。私は二〇一〇年に、スティルガー氏に誘われて、米国ニュージャージー州のジェネシスファームという、持続可能性を実践する農場で開かれたワークショップに参加しました。そこでの食事中の会話で、欧州から来た**アート・オブ・ホスティング**の伝道者の一人が、「欧州のフューチャーセンターは政府中心の活動で、社会に開かれていないので面白くない。ザ・ハブ（世界中に広がりつつある社会起業家のコワーキングスペース）のほうが、タカ（私のことです）の言う場に近いと思う」とチャレンジしてきました。つまり、日本で私たちがつくっているオープンな対話の場は、欧州のフューチャーセンターとは別のムーブメントなのではないか、というわけです。

これに対し、スティルガー氏が見事な回答をしてくれました。

「日本は海外からいろいろなものを取り入れて、自分たち流に改善してしまうのが得意だよね。フューチャーセンターもそうなんだ。日本では、フューチャーセンターを個別の組織の持ち物にしないで、各企業に立ち上げたフューチャーセンターをネットワークさせていくことに成功しているんだ。企業を超えて対話が始まる仕掛けをタカは考えているよね」

これこそ、私の描いている世界観を言葉に表したものでした。フューチャーセンターは、その組織の改善のためだけにあるのではなく、社会的課題を提起して、企業やセクターを超えてイノベーションを起こしていく社会変革のネットワークでもあるのです。
こういう話をすると、「それは（ビジネスと無関係の）社会貢献ですか？」と聞かれることもあるのですが、そうではありません。フューチャーセンターが「社会変革装置」であるならば、それを持っている企業と持っていない企業では、長期的な企業価値も成長力も大きく違ってくるということです。日本企業がこのことに世界で最初に気づき、真っ先に取り組んでいるということを私は誇りに思います。

日本国内では、世界に発信できる先進的取り組みが次々と生まれています。たとえばフューチャーセンターという「社会変革装置」を使って、コーポレートブランドの再構築をする企業が出てきました。新商品・サービス、新規事業を生み出そうとする企業も増えています。さらに、「フューチャーセンター間のネットワークでイノベーションを起こす」という日本型のアプローチが、欧州にも広がり始めています。日本企業が提起した社会課題に、オランダとデンマークのフューチャーセンターが相乗りして、共同で未来シナリオづくりをしていこうという活動もあります。

環境問題、少子高齢化問題、低成長、国家債務、災害など、これから世界の国々が直面する課題の多くを先駆けて経験しているということで「課題先進国」とも呼ばれる日本は、課題提起をグローバルに行うことができます。そして社会変革装置としてのフューチャーセンターをグローバルにネットワークさせていくことができます。その結果、様々な枠を超えた社会イノベーションを起こしていけるのです。

未来のステークホルダーと出会う

フューチャーセンターの魅力は、そこが「未来のステークホルダー」と出会える場所であることです。

想像してみましょう。あなたの未来のステークホルダーは誰なのでしょうか。映画や物語では、偶然か必然か、重要な出会いのシーンがあり、そこから話が急転直下、大きく展開していきます。それまでの平凡な世界とはまったく違う、エキサイティングな毎日が始まるのです。フューチャーセンター・セッションでの新たな出会いが、あなたの仕事や人生の意味を一変してしまうかもしれません。未来のステークホルダーとは、そういう触媒のような人たちのことです。

ある会社のフューチャーセンター・セッションで、参加者に大きな意識の変化を生んだ出会いがありました。このセッションは、グループ企業全体のコーポレート・ブランディングをグループ横断のメンバーでつくっていこう、というものでした。数字に追われて毎日仕事をしている参加メンバーが、登壇ゲストでお招きした社会起業家やデザイナーの情熱的な話を聴いた後、「すでに起き始めているステークホルダーの変化」について、深い対話を行いました。最後に輪になって全員が一言ずつコメントしたときに、何人かから、「私たちは、自分の仕事を通して社会を幸せにすることができると思った」という言葉が出てきました。この言葉は、参加メンバー全員の声を代表したものでした。

この日の参加メンバーの多くが、後日、その日の登壇ゲストに会いに行きました。その人に紹介してもらった多くの現場をみんなで訪れました。たとえば、高齢者のケアを先進的に行っている施設、完全循環型生活を送っている農場、ハンディキャップを持つ人が活き活きと働く飲食店などを訪問しました。彼らが会議室で、「世の中に弱者なんて、本当はいないんだ。外部環境が、彼らを弱者にしてしまっているだけで、本当は多様性にすぎないんだよ」と熱弁をふるっているのを見て、本当に嬉しくなりました。たった一カ月のセッションで、これほどまでに発想が変わってしまったのでした。このようなことが偶然ではなく、かなりの確率で起きるのがフューチャーセンターなのです。この変化は、誰に強制されたものでもなく、自分自身で気づき、内発的に突き動かされたものでした。未来のステークホルダーとの出会いが、その人の、心の中にもともとあったものを引き出したのです。

未来のステークホルダーは誰かという質問に、論理的な答えはありません。誰を未来のステークホルダーに選ぶかは、あなたの意志なのです。問われるのは、想像力です。仕事などでまったく関係のない人を連れてきて、「あなたが、私の未来のステークホルダーです」と説得することを試みてみましょう。そのための練習方法があります。シンポジウムなどの会場で、近くに座った人と名刺交換するときに、「この人が未来のステークホルダーになるかも」と想像することです。

ソーシャルメディア分析の専門家で、書評アルファブロガーでもある橋本大也さんは、「フューチャーセンター・セッションの魅力は人選」と言います。これまで大也さんには、何度もフューチャーセンター・セッションに参加いただきましたが、いつも彼自身が他の登壇ゲストとの対話を心から楽しんでいるのがわります。大也さんはさらに、「未来人が集まり、未来ごっこをするのがフューチャーセンター。制度化してしまって、未来人ではない人が、官僚的に仕事をするようになったらおしまい」とフューチャーセンターのコモディティ化を危惧します。そして、「フューチャーセンターのファシリテーターは、スティーブ・ジョブズのように、現実歪曲フィールドに参加者を巻き込む」と、フューチャーセンターの魅力を独特の言い回しで表現します。

未来人とは、自らの感性と価値観を信じ、今を生きている人だと思います。未来のことを夢想している人ではありません。現状の社会に依存するのではなく、自らの足で立って歩いている人、それゆえ他の人から見ればユニークな世界観で生きているように見える人たちです。だから私は敬意を込めて、登壇ゲストを「エキスパート」ではなく、「トップランナー」と呼びます。

新たに関係性をつくることが、自己変革の起点になります。最初に、「未来のステークホルダーに対する意志」を持つところからすべてが始まります。社会善のテーマをポンと掲げることで、未来のステークホルダーとのつながりが生まれます。そこで共感が生まれ、新たな価値観の中で発想できるようになってきます。ある一定数以上の人たちが未来のステークホルダーとの関係をつなげると、組織全体の価値観に影響を与えます。未来のステークホルダーとの協業を通じて、組織の一人ひとりの行動がすっかり変わってしまうまでに、長い時間は必要ありません。ビジョンや戦略で人を動かすのは難しいことですが、新しい人とのつながりは、一瞬にして人の行動を変えるのです。その結果、新たなビジネス・エコシステムが生まれます。

このプロセスこそが、ソーシャル・イノベーションなのです。

本書のまとめ

フューチャーセンターは、日本ではまだ新しい概念です。この本で書いてきたようなことを、企業や自治体、ＮＰＯの方にご説明することが私の仕事のひとつなのですが、興味深く私の話を聴いていただいた最後の最後に、「要するに、どういうことですか？」とたずねられて拍子抜けしてしまうことも少なくありません。しかしながら、新しい概念には「要するに」が必要だなということも気づかされました。以下がその「要するに」です。

【フューチャーセンター】

組織を超えて、多様なステークホルダーが集まり、未来志向で対話し、関係性をつくる。そこから創発されたアイデアに従い、協調的アクションを起こしていく。そのための「つねに開かれた場」が、フューチャーセンターです。フューチャーセンターがコミュニティに開かれていることで、そのテーマや地域、組織のステークホルダーが、自発的に対話に参加したり、課題を持ち込んだりすることができるようになります。

わかりやすく言えば、フューチャーセンター・セッションがいつも開かれている場所が、フューチャーセンターなのです。ハコモノのフューチャーセンターありきではなく、未来に向けた対話を繰り返していくうちに、いつの日か周囲の人が「あそこはフューチャーセンターだ」と呼び始める。そのようなイメージを持って、フューチャーセンターというものを捉えてください。

高齢者のため、子どものため、認知症の本人や家族のため、よりよい食を考えるためなど、様々なテーマを掲げたフューチャーセンターが、立ち上がろうとしています。また、港区、柏市、横浜市など、地域の議会や行政が中心になって、立ち上げようとしています。東北復興でも、たとえば石巻から未来を創るフューチャーセンターが、検討されています。地域再生や観光地の活性化をめざすものも出てきています。ビジネスセクターでも、食品飲料会社、保険会社、情報通信会社、自動車メーカー、出版社などで、多くのフューチャーセンターが、立ち上がろうとしています。

【フューチャーセンター・セッション(または フューチャー・セッション)】

フューチャーセンターは、多様な人をインプットすれば、問題解決がアウトプットされる自販機のようなものではありません。いちばん大切なことは、フューチャーセンターに参加した人自身が、自らのあり方を見直し、いままでよりも、もっと広いステークホルダーの存在を意識して問題に取り組むようになることです。自らの視野と経験の拡大により、まったく異なる立場から発想できるようになります。異なる立場の人と共感し、異なる立場の人の行動を変えることで、イノベーションが生み出されます。

多様なステークホルダーが集まって対話をする場をフューチャーセンター・セッションと呼びます。フューチャー・セッションと略していただいても構いません。フューチャー・セッションは、未来に向けた対話を行う場で、短くて三時間くらい、長ければ数日かけて行うワークショップです。もちろん、一回で終わらせずに、継続して同じテーマを推進していくことが大切です。なぜならフューチャーセンターの目的は、集まることそのもの、対話そのものにあるのではなく、対話を通してアクションを起こし、複雑な問題を実際に解決することにあるからです。

【フューチャーセンターを実現するための要素】

フューチャーセンターには、ファシリテーター、方法論、空間、ホスピタリティの四つの要素が必要です。フューチャーセンターのコンセプトをお話しすると、対話の重要性や難しさを知っている人ほど、「ファシリテーターがカギですね」と言います。そのとおりです。しかし、空間、方法論、ホスピタリティという他の三要素も、ファシリテーターと同じくらい重要です。

【ファシリテーター】

ファシリテーターとしてのスキルを磨くには、通常の会議のファシリテーション、個人や組織の想いを引き出すコーチングなどの手法が役立ちます。ファシリテーションの総合的なスキルに加え、ファシリテーターのあり方を学ぶには、ボブ・スティルガー氏が推進する「アート・オブ・ホスティング」などが、有効です（アート・オブ・ホスティングについては、用語解説のページで詳しく説明しています。日本の推進団体は西村勇也氏が立ち上げています）。

【方法論】

フューチャーセンターを動かしていくには、三つの方法論の心得が必要です。具体的には、対話、未来思考、デザイン思考の三つです。

対話によって、多様性に富んだグループの知恵と本音を引き出し、問題解決のためのロードマップをつくっていく場がフューチャーセンターです。

本来なら専門家が長時間かけてつくる未来のシナリオを、必ずしも専門家ではないけれども思いを共有する人たちが直観を活かしてスピーティにまとめあげていく仕組みがフューチャーセンターにはあります。

フューチャーセンターで用いられる、ユーザー観察、ブレインストーミング、プロトタイピングといった手法は、イノベーションを生むためのデザイン思考の方法論です（個々の手法については、用語解説のページで説明しています）。こうした手法は、常識や既存の制約にとらわれない創造的な問題解決のためにきわめて有効です。

【空間とホスピタリティ】

フューチャーセンターを実現するうえでの切り札であり、またフューチャーセンターのユニークさでもあるのが、空間とホスピタリティです。創造的な空間、参加者をあたたかく迎える演出は、「いつもと違う対話とアクション」へと人を向かわせるパワーを持っています。できるだけ多くのフューチャー・セッションに参加してセンスを磨くと同時に、ホテルやカフェなどで感じたホスピタリティを対話の場に活かしていくことも、とても大切です。ふだんから、センス向上に努めれば、既存の空間をちょっとした工夫で人とアイデアが集まるフューチャーセンターにすることが可能になります。

【フューチャーセンター・ディレクター】

フューチャーセンターを主宰するのが、フューチャーセンター・ディレクターです。社会的なテーマを持ったり、地域のコミュニティに関心を持ったり、あるいは企業変革に責任を持ったりと、フューチャーセンター立ち上げの理由は様々ですが、あらゆるフューチャーセンター・ディレクターが、ファシリテーター、方法論、空間とホスピタリティのすべてに目を配り、調和された場づくりを指揮します。

フューチャーセンター・ディレクターのもう一つの重要な役割は、他のフューチャーセンターとのネットワーキングです。とくに、異なるセクターのフューチャーセンター同士がつながることで、今まではない複雑な問題へのアプローチが可能になります。その橋渡しをするのがディレクターの役割です。フューチャーセンターのネットワークとは、「フューチャーセンター・ディレクターのネットワーク」にほかならないのです。

【対話によるリアルなソーシャル・ネットワーキング】

フューチャーセンターのネットワークは、人と人とが「対話の場」を通じてつながる、ソーシャル・ネットワーキングを促します。単なる話し合いや人脈づくりに終わらない、アクションにつながるネットワーキングです。対話を通じてともにアクションを起こすことで高い壁を超え、自分たちの手で世界を変えていくことができることが実感できるでしょう。

バーチャルなソーシャル・ネットワークは、革命のきっかけをつくりましたが、一方で大衆を扇動したという批判もあります。フューチャーセンターのネットワークは、対面の対話による、持続的でリアルなソーシャル・ネットワーキングです。思いを通じて出会った人たちが、互いの「違い」を前提に、問題の本質をていねいに掘り下げ、そして自らの意志で判断していくことを可能にするのがフューチャーセンターのネットワークです。

【フューチャーセンター的世界観で生きる】

「この人と一緒に仕事をすることになるとは、思いもよらなかった」。そう感じることは、決して珍しいことではないと思います。ひょんなところで知り合った人と一緒に仕事をするようになることがあります。自分自身がどうありたいかという意志が、その人を引き寄せ、新たな仕事を生み出したのです。このような「未来のステークホルダー」との出会いは、自らの内なる声に耳を傾けるところから始まります。

フューチャーセンターに来ると、自分がたんなる会社員ではない、たんなる市民でもない、たんなる父親や母親でもない、そのすべてを統合した全人格的な存在なのだ、ということを再認識させられます。そこでの対話は、自分自身の仕事と人生を見つめ直す機会にもなります。ぜひ、フューチャーセンターで「未来のステークホルダー」と出会い、自らの人生をバージョンアップしてください。

ハッピー・フューチャー。

森の座談会

フューチャーセンターがもっとよくわかる

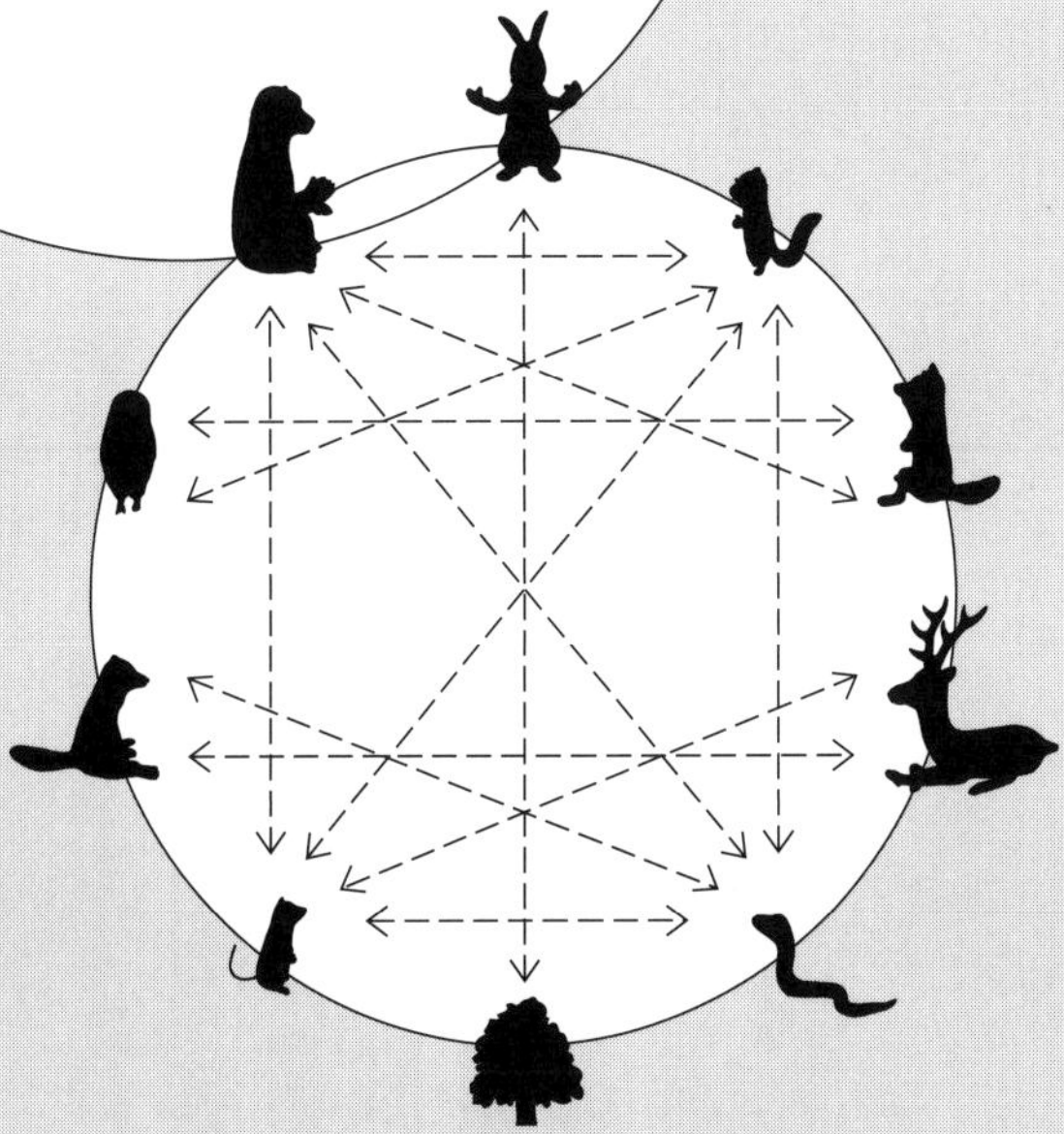

フューチャーセンターのことを理解するには、実際の対話の場であるフューチャーセンター・セッションを体験することがいちばんの近道ですが、まだまだその機会は限られています。そこで、実際にセッションを主催、あるいはセッションに参加したことのある企業やNPOの変革リーダーたちの声を聞いていただきましょう。彼らはなぜフューチャーセンターという方法論を選んだのか、そしてフューチャーセンターに何を期待しているのか。異なる立場から、それぞれの問題意識を持ってセッションに参加した変革リーダーたちが語ります。登場するのは、次の五つのキャラクターです（この座談会は、実際にフューチャーセンター・セッションに参加した方々の発言をもとに著者が再構成したものです）。

◉ウサギ……フューチャーセンター立ち上げに成功したメーカーの企業変革リーダー

◉フクロウ…フューチャーセンターに挑戦しつつも、社内で抵抗にあっているマーケター

◉リス………フューチャーセンターを活用してアクションを起こしつつある社会起業家

◉クマ………フューチャーセンターに魅了された街づくりコンサルタント

◉キツネ……フューチャーセンターの可能性を信じるベンチャー経営者

あなたの組織にも当てはまることが、たくさん出てきていると思います。では、じっくりと耳を傾けてください。

なぜフューチャーセンター？

ウサギ◉ うちの会社には、「まずは自分の仕事を一二〇％やってからモノを言え」という古い体質があります。でも、「その仕事を何のためにやるのか？」を考えること、日々こなす仕事とは全然違う軸でものを考える機会を持つことが、企業がこれから何十年と存続していくために本当に必要なことだと思います。目の前のことに集中するあまり、何かがうまくいかないと「何でできないんだ？」という犯人さがしや、「予算が足りない、人が足りない」という言い訳が広がってきているような気がしていました。このまま流されていてはダメだと思っていたのですが、どうすればいいのかわかりませんでした。そんなとき、フューチャーセンターの話を聞いて、「これだ！」と感じました。

フクロウ◉ そうそう。日本人は、「目の前のことを片付ける」ことは得意なんです。だからいつも、「目の前のことを片付ける」ことばかり、気にしている。だけど、本質的には何も片付いていない。私のいる会社では、最近、社員がどんどん意見を言わなくなってきています。責任を押し付けられたり、余計な仕事を振られるのがいやなんでしょう。でも、一人ひとりが自分の「未来図」を持って仕事に参加しなければ、ただ会社に帰属しているだけになってしまう。それでフューチャーセンターのような仕組みを会社の意思決定に持ち込もうとしたのですが、苦労しています。会社では、なんでも始める前にロジックで説明しなければなりません。フューチャーセンターの本質は「対話の効果」ですが、対話ってロジックで説明しようとすればするほど、伝わらないもののようです。もう最後には、熱意を持って「必ず変わります。活き活きとしたアウトプットが出てきます。とにかくやってみてください！」と言って押し切るしかないと思っています。

ウサギ◉ 僕は、フューチャーセンターというものがあることを知って、それがうちの会社の事業にとってどんな意味があるのだろうか、と考え始めました。いっそのこと役員会議をフューチャーセンターにすることができないかな、と思いましたよ。

クマ◉ 私が関わっている街づくりは、住民、地権者、デベロッパーなど、あらゆる人たちがステークホルダーで、その絡み合った利害をほどくことから始めなくてはなりません。そこから共通の未来像を描いていかなくてはならないので、軽やかに、ユルくつきあいながら、でも長期的に辛抱強く信頼関係を醸成していくことが必要です。フューチャーセンターという「装置」は、対立関係にならずに対話を続けていくためにはとても有効です。

リス◉ 僕がNPOの運営を通じて感じているのは、世の中には「未来について語れる場」がありそうでないということです。来週、来月、来年……といったごく近い未来なら日常的に話題になりますが、何年も先のこととなると、急に話し出すわけにもいきません。唐突に一〇年後の話をしたりなんかすると、「この人おかしいんじゃないか?」と思われるのがオチです。一〇年、二〇年先のことは、「さあ、これから話すよ」というモードでないと話しづらい。そういう意味でいうと、フューチャーセンターは場の作法が共有されている「茶室」のようなものかもしれません。茶室に招かれた人が茶を飲むように、フューチャーセンターに来た人は未来について自然に語るのです。とくに初めて会う人と何年も先の話をするモードにすっと入るには、こういう仕掛けはすごく有効ですね。

フューチャーセンターはダボス会議？

フクロウ◉ たしかに、突然未来のことを話し出すとおかしい人と思われますよね。でも、場をつくるだけで、みんな突然語り出します。普段はおとなしい人が、驚くほど饒舌になりますよ。逆に言えば「話を引き出す装置」が、日常には本当に足りないんだと思います。

リス◉ 私が実際に高齢者の問題についてフューチャー・セッションを開催してみて得られた最大の発見は「この問題に、こんなにいろいろな人が興味を持って集まるんだ」ということにつきます。介護や認知症の問題は、関心はあっても当事者として話し合いに出るほどではない、という人がほとんどです。でも、フューチャーセンターで取り上げることにより、こうしたことを仕事にしている人は「他の業界の人と話してもいいんだ」という気づきがあり、ふだんあまり関わりのない人は「私がこの話をしていいんだ」という自信を持つわけです。閉塞感の強い業界こそ、フューチャーセンターの効果が大きいのではないかと思います。

キツネ◉ たしかにニュートラルな場があることで、そのテーマを専門に扱っている人以外でも気軽に参加できる敷居の低さが生まれますね。フューチャーセンターには、こうした「場」の力もさることながら、「人」の力もあります。いろんな分野の「未来人」が集まって、「未来人プレイ」をするところなんですね。まさにスティーブ・ジョブズの「現実歪曲フィールド」。ファシリテーターが参加者を紹介するときも、あえて「特別な人しかいない」ということを印象づけるようにするので、くだけた雰囲気だけれども非日常を実感できる。

フクロウ◉ そうそう、だから、フューチャーセンターが制度化されたりしたらつまらなくなると思います。

キツネ◉ たしかに、メジャラブルな生産性と創造性は往々にしてトレードオフですからね。未来人でない人が跋扈するようになった瞬間、フューチャーセンターのコモディティ化が始まるかもしれません。ただ、制度化しないといっても、フューチャーセンターを知らない人に説明するのはやはり難しいですね……。

ウサギ◉ ちょっと違うかもしれませんが、たとえば「普通の人によるダボス会議みたいなもの」と言ったらわかりやすいんじゃないでしょうか。先進的なアイデアを持つ人が集まり、自分の立ち位置を明確にして発言する場、という意味で。

フクロウ◉ なるほど。ただ、発表するだけの場ではないんですよね。フューチャーセンターは「問題解決の場」であり、「問題発見の場」でもありますから。とくに、問題発見力は組織の中では育ちにくいといわれています。次々と新しい問題を発見してしまう人は、「社風に合わない」とはじかれてしまうことが多いからです。フューチャーセンターは変革装置なので、そういう「出る杭」的な人が光る場になると思います。

ウサギ◉ 出る杭的な人でなくても、異業種や他企業の主催するフューチャーセンターに行ってみると、自分も案外役に立つのだなと実感することができます。多様性を持ち込むことそのものが価値なので、ただ参加するだけでも「新たな視点」を提供することが可能だからです。そういう意味では未来志向で問題解決に関わりたいと思う人なら誰でも輝ける場なんですよ。

対話から始まるが、対話だけで終わってはいけない

リス◉ 「問題発見」ということでいえば、今世界中で小さいＮＰＯが、大企業をつなぐハブとなる動きがでてきています。お金も情報もある大企業がＮＰＯの力を必要としている

ということに、専門家に頼るという分析的アプローチに限界がきていることを感じます。

クマ◉ 社会の問題があまりに複雑化してしまったので、専門家の手に負えなくなっているんでしょう。その結果、問題がそこらじゅうで放置されています。専門家には何が制約になるのかがあらかじめ見えてしまうんですよ。だから、今ある制約を全部忘れさせてくれるような、常識を取り払う作業が必要なんです。対話を通じて制約を超えていくのがフューチャーセンターという場なんですね。

ウサギ◉ ただ、初めて対話のパワーを体験すると、それがあまりにも強力なので、「対話さえすれば解決する」と早とちりするケースもありますね。

フクロウ◉ それで期待どおりにならないと「やっぱりダメじゃないか」となる。対話の場のデザインも、ファシリテーションも、しっかりと準備して臨まなければうまくいかないことは肝に銘じるべきでしょう。

クマ◉ そうですね。似たような人たちが集まって、ペチャクチャやるだけでは、何も変わらない。なんとしても解決するぞ、というアクションへのスイッチが入らないとダメなんです。そのためには、内輪だけで集まるのではなく、日ごろ接点のない人たちにあえて参加してもらうことがすごく大事だと思います。このあたりはフューチャーセンター・ディレクターの力量にかかってきますが……。

ウサギ◉ フューチャーセンターはすぐに成果に結びつくものではありません。でも対話を重ねていけば、間違いなく参加メンバーの視野が広がり、目の色が変わるんです。その過程で人と人とのつながりが地層のように積み重なっていきます。それこそが問題解決のプラットフォームになる。

フクロウ◉ 単純にある地点に向かうというのではなくて、何かが積み重なっていって、どこかで答えにつながる、ということですね。

一緒に問題を解くことの幸せ

ウサギ◉ フューチャーセンターは、経営理念の共有と浸透に活かせるのではないかと思っています。そもそも経営理念は、一社だけで実現するには大きすぎるんです。社外に開かれたフューチャーセンターでいろいろな企業をまきこみ、拡大されたネットワークで経営理念の実現をめざせば、新しい市場を創造することにもつながるでしょう。

リス◉ ＮＰＯから社会を見ると、たくさんの課題が見えます。行政と企業には、それぞれの担当領域があり、誰も手をつけていない分野はＮＰＯ任せにしている感じがします。一方で、ＮＰＯも領域ごとに「うちの問題を最優先してください」と言って助成金を奪い合っているのが現状です。こういう無駄なことをやめて、目的を共有する人が分野を超えて集まって一緒に議論する場としてフューチャーセンターを活用したいと思っています。

フューチャーセンターの魅力は「人が変わることを前提としていること」だと思います。これまでの問題解決手法は、人が変わっていくことを前提としていませんし、生態系が変わっていくことも前提としていません。「未来を考えると、ルールは変わっているかもしれない」とか、「ゲームのルールは変えてもいいんだ」という気分になれることが、本当に大事なのです。

フクロウ◉ フューチャーセンターは、「私だけの幸せ」を超えたところにある、「解けない問題をみんなで一緒に解くことの幸せ」を気づかせてくれる場ですね。

おわりに

この一〇年以上にわたり、私は人間中心のナレッジ・マネジメントに取り組んできました。この取り組みは、組織で働く一人ひとりの従業員の持つユニークな知識を特定し、それを組織能力として活かす環境や仕組みをつくることでした。この仕事が業務プロセスの改革と異なるところは、従業員をプロセスの奴隷にするのではなく、従業員の持つ価値を再認識し、それを組織的に活かすようプロセスを再構築するということでした。

「あなたの仕事は効率化すれば不要になる」と言われるのと、「あなたの生み出す知識が組織の強みになる」と言われるのでは、どちらが嬉しいでしょうか？ 一流の大手企業にコンサルタントとして訪れ、その本社や技術開発部門で、人をコストとしてしか捉えていない現状をたくさん見てきました。例外処理に忙殺される顧客社員から、「私の仕事はないほうがいいんです」という疲れきった言葉を聞いたことがありました。効率化重視のオペレーションの中で、問題が起きずにスムーズにプロセスが流れるのが理想とされていたからです。彼の仕事は、まったく評価されていませんでした。そこでの私の仕事は、「あなたこそが、この会社にとって最も重要な暗黙知を生み出す仕事をしているのです」という事実を指摘することでした。現場インタビューに基づき、インタビューさせていただいた顧客社員とその上司に対して、彼の持つ暗黙知を組織的に活用する仕組みを提言したときの、上司の「そうなんですよ！」という言葉の勢い、二人の目の輝きが今でも忘れられません。

このような経験を重ねるうちに、組織の短期的なパフォーマンスを重視すればするほど、社員は例外処理をやっつけ仕事ですまそうとして、本質的な問題解決を避けることがわかりました。その結果、長期的には同じ例外処理が何度も何度も現れ、そのたびにやっつけ仕事でごまかしているのです。効率的に仕事が回っているように見えることが、組織の長期的なパフォーマンスを高めるとは限りません。それとは対照的に、そこで働く一人ひとりの持つ可能性、組織全体への貢献領域を発見することで、あちこちからイノベーションの種が生まれてくることも体感してきました。

フューチャーセンターに対する期待も、まさにここにあります。社会の抱える問題は、組織の中での問題と比べものにならないくらい複雑で、多くのステークホルダーが絡み合っています。複雑な問題を例外処理として先送りするのではなく、本質的な問題解決を進めていくためには、社会の構成員である私たち一人ひとりの持つ可能性、社会全体への貢献領域を発見することが何より必要になります。高齢社会で起こり得る問題の多くは、すでに介護の現場で起きていることかもしれません。地方自治体と介護士、そして企業が関わり、高齢者にやさしい街づくりを進めていくことが可能になります。「自分の仕事は目の前の人のケアだけではなく、将来の高齢者のためによりよい社会環境をつくっていくことである」ということを実感し、目が輝く人が参加者の中に一人でもいれば、それはとても素敵なことです。

組織が社員の知識をすべて吸い取ってしまうような、初期のナレッジ・マネジメントがうまくいかなかったように、参加する人の知識を活用するだけのフューチャーセンターは持続しないでしょう。フューチャーセンターに来た人が自らの可能性を発見し、ワクワクした気持ちにならなければ、次も来たいと思ってくれないでしょう。参加した多様なメンバーが、新しい関係性を築き、何か一緒にやりたいという気持ちにならなければ、協調的アクションは起きないでしょう。フューチャーセンターの数だけ、こんなワクワクや協調的アクションが生まれたら、この社会はどんなに素敵なものになるでしょうか？

私の取り組んできたもう一つの取り組みは、顧客企業のイノベーションを引き起こすことでした。どうすればイノベーションの確率が高まるか、どうすればそのための組織能力を高めることができるか、ということが顧客企業からの問いでした。私は、よいアイデアというものがあって、それをなんとか発見し、これを実行していくことがイノベーションだと考えていました。そのため、プロジェクトの初期段階から必死にアイデアを考えていました。

ところが最近、イノベーションはそれとは違ったプロセスで起きているのだと思うようになりました。まず、今までと違う人と知り合い、その人とつながることで新しい発想、つまりよいアイデアの卵のようなものが生まれます。さらに新しい人とつながることで、そのアイデアをよりよきものへと発展させていきます。このように、アイデアは人と人とのつながりの中で育っていくのだと、そうやってイノベーションは起きていくのだと考えるようになりました。

人と人とのつながりは、これほどまでに通信ネットワークが発達した今でも、所属組織やコミュニティごとに偏り、同質化しがちです。しかしイノベーションは、異なるバックグラウンド、異なる問題意識、異なるセクターの人同士を意識的につなぐことで生まれてくるのです。

企業の商品開発に、NPOや市民が参加するようになるとしたら、企業の社会性は、今まで以上に問われてくるでしょう。企業活動の一部を社会事業として切り出し、社会善を目的とした事業活動を進める企業も増えてきています。誰もが、いつでも、自らの経験や知識を活かし、イノベーションに参加できる社会が、私の考える理想の社会です。企業内の個人の想い、自治体の一職員の想い、コミュニティの一員の想い、保育士や介護士の想い、どこからスタートしてもかまいません。想いの強さが、社会を変える原動力となる。そんな社会をつくりたくてたまりません。

日本全国、津々浦々、あらゆるところにフューチャーセンターがある姿を想像してみてください。東京、大阪、名古屋、四国、九州、東北、北海道などにはハブとなるフューチャーセンターがあり、それぞれには、その地域のたくさんのフューチャーセンターがつながっています。

大企業の本社や研究所のもっとも目立つ場所には、イノベーションやブランディングの中心地として、フューチャーセンターが開設されています。中小企業や商店街などは、地域単位でフューチャーセンターを持つようになっています。NPOもこぞってフューチャーセンターを始めますが、自前の専用空間を持つ代わりに公民館などを有効活用し、市民の多くが非営利活動に参加するきっかけを生み出しています。公民館が、素晴らしいデザインのフューチャーセンターにリニューアルされることも、珍しくなくなるでしょう。

コワーキングスペースの広がりは、都市部だけではなく全国に広がり、起業家やフリーランサーのためのフューチャーセンターとして、大きなムーブメントとなっています。

このような姿を想像したときに、そこにいる人たちの表情はどう見えるでしょうか。男性も女性も、子どもも高齢者も、外国人も、ハンディキャップを持つ人も、様々な人たちが一堂に会して、笑顔で対話をしている姿を想像してみてください。部屋中に付箋が貼られ、いきいきと身体でアイデアを表現している姿、皆で一緒に段ボールを切り取ってアイデアをかたちにしている姿がそこにはあるでしょう。その表情は、オフィスビルの大部屋や会議室に並んだ四角いテーブル、しかめ面で腕組みした上司、全員がパソコンに向かって黙々と仕事をしている表情と、どのくらい違うでしょうか。

フューチャーセンターは、私たちに挑戦の機会を与え、そして仕事をワクワクと楽しいものにしてくれます。その本質は、私たち自身決まったことを効率的にこなすだけの仕事から一歩下がって前提を疑い、本質に立ち返るための創造性を取り戻すことにあります。

その結果、複雑な問題を本質から解決する力を私たちは得ることができるのです。

フューチャーセンターは、楽しく創造的でなければなりません。フューチャーセンターは、参加者間でよりよい関係性を築けるものでなければなりません。アウトプットが出ればいい、という考え方は捨てなければなりません。一方で、楽しく対話ができればいい、という考え方も捨てなければなりません。フューチャーセンターは、未来に向けてのマインドセットをしっかりと持ち、今までと同じやり方では解決できない問題に対して、真剣に立ち向かう場なのです。ファシリテーターはその支援はできますが、最終的に問題を解決する行動を起こしていくのは参加者一人ひとりです。その覚悟を持って、フューチャーセンターに足を踏み入れる必要があります。

「フューチャーセンターに行けば、複雑な問題が解決するかもしれない」、という期待感は、非常に大切なことです。しかし、「フューチャーセンターに行けば、問題を解決してもらえる」という受動的な、いわば他人任せの期待で人が集まっても、問題は解決しません。「フューチャーセンターに行けば、自分が主体性を持って問題解決を進める糸口がつかめるかもしれない。やるぞ！」という能動的な、いわば自分への期待を皆が持って集まることが大事なのです。

だからこそフューチャーセンターは、「想いを持った大切な問いからすべてが始まる」という大原則を持っているのです。どうしても解決したい問題があれば、一度失敗してもあきらめずに、何度でも問いを立て直し、未来のステークホルダーを集め、しつこく、しつこく、突き進むことが必要です。フューチャーセンターは、電子レンジのような文明の利器ではなく、匠の使う道具のようなものだとお考えください。それを使いこなすためには、何度も実践し、学び合い教え合い、実力をつけていくことが何より大事になります。

フューチャーセンターを立ち上げるとき、あなたは一人ではありません。フューチャーセンターは、あなたに多くのつながりをもたらし、一人ではできないことをみんなで実現するきっかけをもたらします。フューチャーセンターを立ち上げて、会社の中でのつながりを生み出しましょう。社会の中での新たなつながりを生み出しましょう。

そして何より、あなた自身の人生に新たなつながりをたくさん生み出しましょう。あなたの人生は無限に広がる可能性を持っています。

用語集

【未来思考】

未来に対して、予測ではなく新しい観点を得てマインドセットを革新していくための方法論です。時間・空間における特異点や変曲点に着目することで、一元的に絞り込むのではなく、多くの可能性あるいは不確実性を考慮しながら多元的に世界を見ていきます。

【未来シナリオ】

一〇年から数十年先の未来の状況や世界観を読み手がイメージできるようにするための分析手法です。シナリオはラテン語のｓｃｅｎａ(舞台、場面)から派生した言葉であり、時間軸に沿って場面(空間)が展開する筋書きのことです。構成要素は場面転換、意外な意図せざる物語や、驚きをもたらす情景(シーン)になります。

参考文献『ビジネスのためのデザイン思考』(紺野登著、東洋経済新報社、二〇一〇年)

【未来スキャニング】

多様な知（客観的および主観的）を取り入れながら、市場の構造や人の価値観を変化させるといった、テーマに影響を与える要因「変化の兆し」を抽出します。そしてその要因を組み合わせることで、起き得る未来を洞察する手法です。もともとは一九六〇年代にスタンフォード・リサーチ・インスティテュート（ＳＲＩ）が開発した未来洞察の手法であり、長年にわたって様々な企業や実務家によって改良され現在に至っています。同種の手法としてシナリオプランニングがあります。両者の違いは、シナリオプランニングが不確実性のマネジメントに重きを置いている一方、未来スキャニングは可能性の探索に重きを置いているという点です。

参考文献『東大式 世界を変えるイノベーションのつくりかた』（東京大学 i.school 著、早川書房、二〇一〇年）

【シナリオプランニング】

不確実な変化を生み出す深層要因を洞察し、あり得る未来への展開について複数の仮説（未来シナリオ）を立て、それらに基づいて意志決定や判断を行うための戦略策定手法です。実際の未来シナリオ作成手順には論者や流派によっていくつかの方法論があります。起源はＳＲＩやロイヤル・ダッチ・シェルなどの企業の経営企画部門が行っていた手法です。

参考文献『シナリオ・シンキング――不確実な未来への「構え」を創る思考法』（西村行功著、ダイヤモンド社、二〇〇三年）、『シナリオ・プランニングの技法』（ピーター・シュワルツ著、垰本一雄、池田啓宏訳、東洋経済新報社、二〇〇〇年）

【フューチャーサーチ】

大人数でアクションプランを作成するためのミーティング。「ホール・システム（すべてのステークホルダー）」が一堂に会し、具体的な課題に焦点を当てて取り組むための手法です。典型的には、過去を振り返り、現在を探求し、理想的な未来のシナリオを作成し、コモングラウンド（共通のよりどころ）を明確化し、アクションプランを作成するという、構造化された五つのタスクを持つ三日間のワークショップです。マーヴィン・ワイスボードとサンドラ・ジャノフによって一九八七年に提唱され、一九九五年に現在のかたちに完成されました。

参考文献『フューチャーサーチ――利害を越えた対話から、みんなが望む未来を創り出すファシリテーション手法』（マーヴィン・ワイスボード他著、ヒューマンバリュー編・訳、香取一昭訳、ヒューマンバリュー、二〇〇九年）

【対話(ダイアログ)】

会話(カンヴァセーション)、対話(ダイアログ)、議論(ディスカッション)という言葉は、それぞれ異なる意味合いで使われています。会話は、もっとも基本的なコミュニケーションで、話し、聞くことです。それに対して、対話は「お互いに理解し合いながら話を進めること」を意味します。テーマを持って話す場合もありますが、そうでない場合もあります。対話においては何よりも相手の立場に立って傾聴することが重要になります。議論は、相手を理解することよりも、何が正しいかをはっきりさせたり、妥協点を探したりするために行われるものですが、対話に駆け引きや勝ち負けはありません。

参考文献『ダイアローグ 対立から共生へ、議論から対話へ』(デヴィッド・ボーム著、金井真弓訳、英治出版、二〇〇七年)、『「対話」がはじまるとき―互いの信頼を生み出す12の問いかけ』(マーガレット・J・ウィートリー著、浦谷計子訳、英治出版、二〇一一年)

【アート・オブ・ホスティング】

効果的な対話が、個人、組織、コミュニティを成長させるための、唯一かつ最重要なプロセスであると信じる、グローバルな実践者のコミュニティです。このコミュニティは、ワールドカフェ、OST、AI（いずれも事項以降で解説）などの対話を助ける様々な方法論やツール、プロセスを使って社会変革を促しています。同時に、このコミュニティでは、人々が「対話には集合的知識を表出化させる力がある」という世界観を理解することを手助けするために、様々な研究や学習方法を開発しています。

【ワールドカフェ】

大人数のグループの中にある知恵や知識を、簡単に、また自然なかたちで可視化するための対話の方法論です。四人で一組をつくり、できれば小ぶりな丸テーブルを囲んで着席します。机の上にあるテーブルクロス（包装紙、または模造紙）には、落書きをしても、メモを残しても、きれいなスケッチを描いてもかまいません。特定のテーマについて対話し、一五分から三〇分ごとに、テーブルに残る一人を選び、残りの三人は他のテーブルに移って対話を続けます。何ラウンドか終わったところで、どんな気づきがあったかを全体でハーベスト（収穫）します。

参考文献『ワールド・カフェをやろう！』（香取一昭、大川恒著、日本経済新聞出版社、二〇〇九年）

【OST】

OST（オープン・スペース・テクノロジー）は、参加者が主体的に自分自身にとって重要なテーマについて、深い洞察を得るための対話の方法論です。1985年に、ハリソン・オーエンにより多数（五〜一〇〇〇人）で行う対話のメソッドとして開発されました。十分に信頼関係を構築した後に、セッションの中盤でよく利用されます。OSTは、「マーケットプレイス」と呼ばれる場に始まり、「セッション」「ハーベスト（収穫）」と続きます。マーケットプレイスは、関心のあるテーマについて考えたいという人が、問題提起を行います。提示されたテーマについて、対話する時間と場所を割りつける表を用意し、貼り出します。セッションは、テーマごとに分かれて、問題提起者を中心に対話を行います。参加者は、貢献できない、関心がないと感じたら、自由に他のテーマの場所へ移動することができます。

参考文献『オープン・スペース・テクノロジー——5人から1000人が輪になって考えるファシリテーション』（ハリソン オーエン著、ヒューマンバリュー編・訳・監修、ヒューマンバリュー、二〇〇七年）

【AI】

AI（アプリシエイティブ・インクワイアリー）は、起きている問題やギャップに注目するのではなく、すでにうまくいっていることや強みに注目する「問い」からスタートする、ポジティブ・アプローチと呼ばれる対話の方法論です。次の四つの〝D〟プロセスを通して、ポジティブに世界の変化をつくり出していきます。

❶すでに効果があることをDiscover（発見）します。
❷効果が出ていることを発展させたら、どんなことが可能になるのかDream（夢）を描きます。

❸次に起こり得るであろうことをDesign（デザイン）します。
❹デザインされたものをDestiny（運命）にしていきます。

参考文献『ポジティブ・チェンジ――主体性と組織力を高めるAI』（ダイアナ・ホイットニー、アマンダ・トロステンブルーム著、ヒューマンバリュー編・訳・監修、ヒューマンバリュー、二〇〇六年）『私が会社を変えるんですか？ AIの発想で企業活力を引き出したリアルストーリー』（中島崇昴、本間正人著、日本能率協会マネジメントセンター、二〇〇七年）

【フィッシュボウル（金魚鉢）】

よい対話を深めつつ、その内容を参加者全員で共有するための、対話の方法論です。空間の中心に、２つから７つくらいの椅子を円形に配置します。その外側に、聴く人のための椅子を円形に並べておきます。内側の円に座る人が、対話をする人です。内側の円で行われている対話を外側から眺めるという意味で、金魚鉢と呼ばれています。内側の円で対話する人は、適宜入れ替わり対話を進めていきます。そのとき、外側の円で対話を聴いている人にメモをとってもらうことが大事です。話すことと同じくらい、真剣に聴くことに価値があるからです。

参考文献『ゲームストーミング――会議、チーム、プロジェクトを成功へと導く87のゲーム』（Dave Gray, Sunni Brown,James Macanufo著、野村恭彦監訳、武舎広幸・武舎るみ訳、オライリー・ジャパン、二〇一一年）

【デザイン思考】

デザイン思考とは、アメリカのデザイン・コンサルティング会社、IDEOが唱え始めた方法論で、人のニーズ、技術の実現性、ビジネスの三つをマッチさせるために、デザイナーの持つ感性と方法論を活用するものです。もっと広義に定義すれば、「デザイン思考は、ニーズを需要に変えるもの」と捉えることもできると、ティム・ブラウン社長は自らのブログで語っています。

参考文献『デザイン思考が世界を変える――イノベーションを導く新しい考え方』（ティムブラウン著、千葉敏生訳、早川書房、二〇一〇年）

【IDEO（アイディオ）】

米国カリフォルニア州パロアルトに本社を置く、デザイン・コンサルティング会社です。文化人類学者、ITデザイナー、エンジニア、ビジネスプランナーなどの領域横断の専門家が、顧客企業と一体となってチームワークでプロジェクトを進めます。観察、ブレインストーミング、プロトタイピングというデザイン思考のプロセスを明確に定義し、イノベーションを起こす会社というブランドを築き上げました。

参考文献『発想する会社！――世界最高のデザイン・ファームIDEOに学ぶイノベーションの技法』トム・ケリー、ジョナサン・リットマン著、鈴木主税、秀岡尚子訳、早川書房、二〇〇二年）

【ユーザー観察】

人間の行動を偏見なしに見ることで、新たな洞察や気づきを得るための手法です。いつも見ている「コーヒーを飲む」という行動であっても、熱いコーヒーを飲むときにどのように温度を確認しているか、立ってコーヒーを飲むときのカップの持ち方はどう違うのかなど、しっかりと観察すれば、人それぞれ異なる発見をすることができます。IDEOは、「極端な（エクストリーム）ユーザー」を選んで観察することによって、人間の本質的な行動傾向を発見してきました。たとえば、子どもが五人いる家族が、どのようにワゴンに荷物を詰めているのか、といった観察から新しい車のインテリアのアイデアが生まれることもあります。

参考文献『考えなしの行動？』（ジェーン・フルトン・スーリ＋IDEO著、森博嗣訳、太田出版、二〇〇九年）

【ブレインストーミング】

アレクサンダー・オズボーンによって考案された、創造的な会議手法です。次の四原則をグループ全体で守ることで、独創的なアイデアを得ることができます。

❶よい・悪いの判断をしない（結論厳禁）
❷ワイルドなアイデアを歓迎する（自由奔放）
❸アイデアの量を求める（質より量）
❹アイデアを結合し発展させる（結合改善）

多くの企業で長きにわたり使われてきた手法ですが、IDEOがデザイン思考の方法論の中心にブレインストーミングを据えたことで、より洗練されたかたちで再認識されました。参加者が好奇心をかきたてられ、たくさんのアイデアを出せるテーマの設定が、成功の鍵になります。

【プロトタイピング】

プロトタイピングというと、モノづくりの試作品を想像してしまうかもしれません。デザイン思考のプロトタイピングは、もっと広い意味で使われています。それが、経験プロトタイピングと呼ばれるもので、「ユーザーが新たに味わう経験そのもの」を目に見えるかたちに具体化する手法です。やり方は多彩で、絵コンテや紙芝居、あるいは物語などをつくることもあります。自分たち自身が、即興で演じることもあります。段ボールでつくったセットの前で、自らが演じ、それをビデオに編集することもあります。いずれにしても、「こんな経験があったら」という仮説を実際に経験してみることが目的で、どうやってつくるかは大きな問題ではありません。

◉本書にご協力いただいた方々　（敬称略）

阿部一真　サイボウズ株式会社 営業本部 国内特定プロジェクト担当部長
石寺 敏　東京急行電鉄株式会社 事業戦略室 課長
岡田 誠　株式会社富士通研究所 R&D 戦略本部 シニアマネージャー
筧大日朗　富士ゼロックス株式会社 KDI リサーチコンサルタント
田中 摂　株式会社乃村工藝社 事業開発本部 マーケティング部
谷口政秀　株式会社イトーキ　企画本部 オフィス総合研究所 所長
徳田雄人　特定非営利活動法人 認知症フレンドシップクラブ 理事
中村 威　アサヒグループホールディングス株式会社 コーポレートブランド部門 ゼネラルマネジャー
橋本大也　データセクション株式会社 取締役会長
松岡一久　株式会社エナジーラボ 代表取締役
三宅立晃　株式会社セールスフォース・ドットコム シニアコンサルタント

野村恭彦《のむら たかひこ》

イノベーション・ファシリテーター。国際大学グローバル・コミュニケーション・センター（GLOCOM）主幹研究員。富士ゼロックス株式会社 KDIシニアマネジャー。K.I.T.虎ノ門大学院客員教授。フューチャーセンター・アライアンス共同創業者。「知識創造型組織づくり」の専門家として、ワークスタイル変革、知識創造の場の設計、社会イノベーション、フューチャーセンターなどを通して「ダイナミックな知の生態系」をデザインする。

慶應義塾大学大学院理工学研究科 開放環境科学専攻 後期博士課程修了。富士ゼロックス入社後、コーポレート戦略部にて同社の「ドキュメントからナレッジへ」の事業変革ビジョンづくりを経て、2000年に新規ナレッジ・サービス事業 KDIを立ち上げた。06〜08年、東京工業大学 SIMOT特任准教授。07年より国際大学GLOCOMにて「イノベーション行動科学」研究リーダーとして、社会起業家とビジネスプロデューサーの行動原理を研究。11年より K.I.T.にて「ナレッジ・コラボレーション特論」の講座を持つ。

著書に『サラサラの組織』『裏方ほどおいしい仕事はない!』、監修／監訳書に『コミュニティ・オブ・プラクティス』『ゲームストーミング』などがある。

フューチャーセンターをつくろう

著者
野村恭彦《のむら たかひこ》

2012年4月29日　第1刷発行

発行者
長坂嘉昭

発行所
株式会社プレジデント社
東京都千代田区平河町2-16-1 〒102-8641
03-3237-3732（編集）03-3237-3731（販売）

印刷・製本
萩原印刷株式会社
ISBN978-4-8334-2009-9

編集｜中嶋 愛
制作｜関 結香
カバー立体イラスト｜町田七音
ブックデザイン｜田中正人（MORNING GARDEN INC.）
本文イラスト｜渡辺麻由子（MORNING GARDEN INC.）